近世都城　町場形成史

――「野町」の変容と展開・町人の苗字取得を視座に――

佐々木　綱洋　著

みやざき文庫 139

はじめに

本書は、都城近世史に関する私の論稿のうち、都城島津家領町場の発展と展開をテーマとしてまとめたものである。

都城島津家は近世江戸期に入って、薩摩本藩の私領主という支配の在り方から、特有の領地経営を余儀なくされてきた。それだけに、都城の領民も、特有の地域形成を行い、特有の領民意識を育んできた。その在り方はこれまでもいくつかの歴史研究で指摘されていることであるが、私が本書で展開したテーマも、そのことの解明につらなるものである。

戦国期に形成された都城（鶴丸城）城下町が江戸時代に入っていったん解体・変容されたあとの、江戸期における都城島津家領城下町は、鹿児島藩領内町場である野町に由来する、いわゆる「野町城下町」として形成される。それは、島津宗家と都城島津家から様々の支配と束縛を受けざるを得なかったのである。このことは、『庄内地理志』巻一四〔本町・唐人町〕に記す挿話が端的に物語っている。

本町町人の鶴田喜三八は、内職として、豆腐を御定めの寸法より少なめの分量で、二丁つづきで売り出し、市横目（市の監視役）から注意があったが、承知しなかったので、不届き者として、科銭《とが》（罰金）として二百文が科されている。類似の科銭のことが、同巻の本町・唐人町には数多く記載されており、当時の都城島津家領町人が、自由に利潤を追求することは不可能で、都城島津家及び島津宗家の規制に束縛されていた実態が浮かび上がる。

しかし、にもかかわらず、とくに江戸後期において、都城島津家領の町人たちは、地元物産の開発や町場づくりに、まことにさまざまな活発な活動を展開しているのである。それが明治期の都城の地域おこしにつながっていることを思うとき、そうした町人たちは、主体的とも言える活動を展開しているのである。その活動のエネルギーはどこから生まれ、どのように形成されてきたのだろうか。

また、本文でも明らかにしているところであるが、江戸後期における都城町人の苗字（名字）取得の多さということをとってみても、そこには、単なる「野町城下町」とはちがう在り方が形成されてはいないか、と問いかけざるを得ないのである。

本書は、そうした問題意識に導かれての、近世における都城島津家領町場の形成と発展および町人の成長の素描である。もとより、試論の域を出るものではないが、都城近世史の研究に携わってきた者として、本書が一石を投ずることになればこの上ない喜びとするものである。

※　※

都城近世史に関する論集を出したいとの思いはかねがねあった。筆者のいつもの手法であるが、まず、文献・史料を蒐集し、あるテーマで目鼻がついた段階で執筆にとりかかる。原稿が出来上がると、その原稿で鹿児島の隼人文化研究会例会、鹿大史学会大会（鹿児島大学法文学部）などで研究発表を行うとともに、都城の郷土誌である『南九州文化』と『もろかた』での誌上発表を行い、さらに、平成二十二年より二十八年までの七年間は、非常勤講師を務めた南九州大学人間発達学部の講座「都城の歴史と文化」での講義に使用するなどして、原稿を練り直す。その結果、三十余りの原稿を得ることができた。

この三十余りの原稿を十一章に分け、章ごとに解説を付してはみたものの、これを一冊の単行本にまとめるには、あまりにもまとまりにかける状態にあった。そこで、鉱脈社の川口敦己氏にお願いして、第一章「近世都城の町造り――都城城下町より新地への移転――」と第六章「江戸後期における都城島津家領町場の発展と繁栄」を一つにまとめ、これに数編の新作の補助的論文を加えて組み換えを行うことでようやく、出版に漕ぎつけることができたのが本書である。それは、まことに先の見えない道程であり、頓挫することも度々であった。川口氏の息の長いリーダーシップと編集者としての英知をいただかなかったら、本書の誕生はなかった。大変有り難く思っている。

令和元年秋

目次

第1章　二つに分断された都城城下町

――中世から近世へ。新地移りの前と後――

第一節　都城（鶴丸城）城下町より新地への移転（新地移り）

一、都城（鶴丸城）

都城（鶴丸城）は宮崎県南部の大動脈大淀川（竹之下川）に面した台地を要害として築城している。現在の大淀川は、城よりやや離れているが、築城時は、本丸の直下を流れていたと考えられる。この地への築城の目的は、都城盆地の領内把握と大動脈の大淀川の確保であった。

都城は、北郷氏二代北郷義久が南北朝時代の永和元年（一三七五）に築城したと伝えられている。城は、南九州独特のシラス台地が大淀川に迫る要害の地に築かれている。はじめ小規模の曲輪であったが、戦国時代に城域は拡大され、十一の曲輪からなる南九州型の連郭式山城となったが、元和元年（一六一五）、北郷氏十二代忠能のとき、江戸幕府の一国一城令により廃城になった。

現在は城域の中央部をＪＲ日豊本線が貫通しているが、本丸を含む六つの曲輪が残っている。本丸跡には都城歴史資料館が建てられ、都城盆地を一望できる。

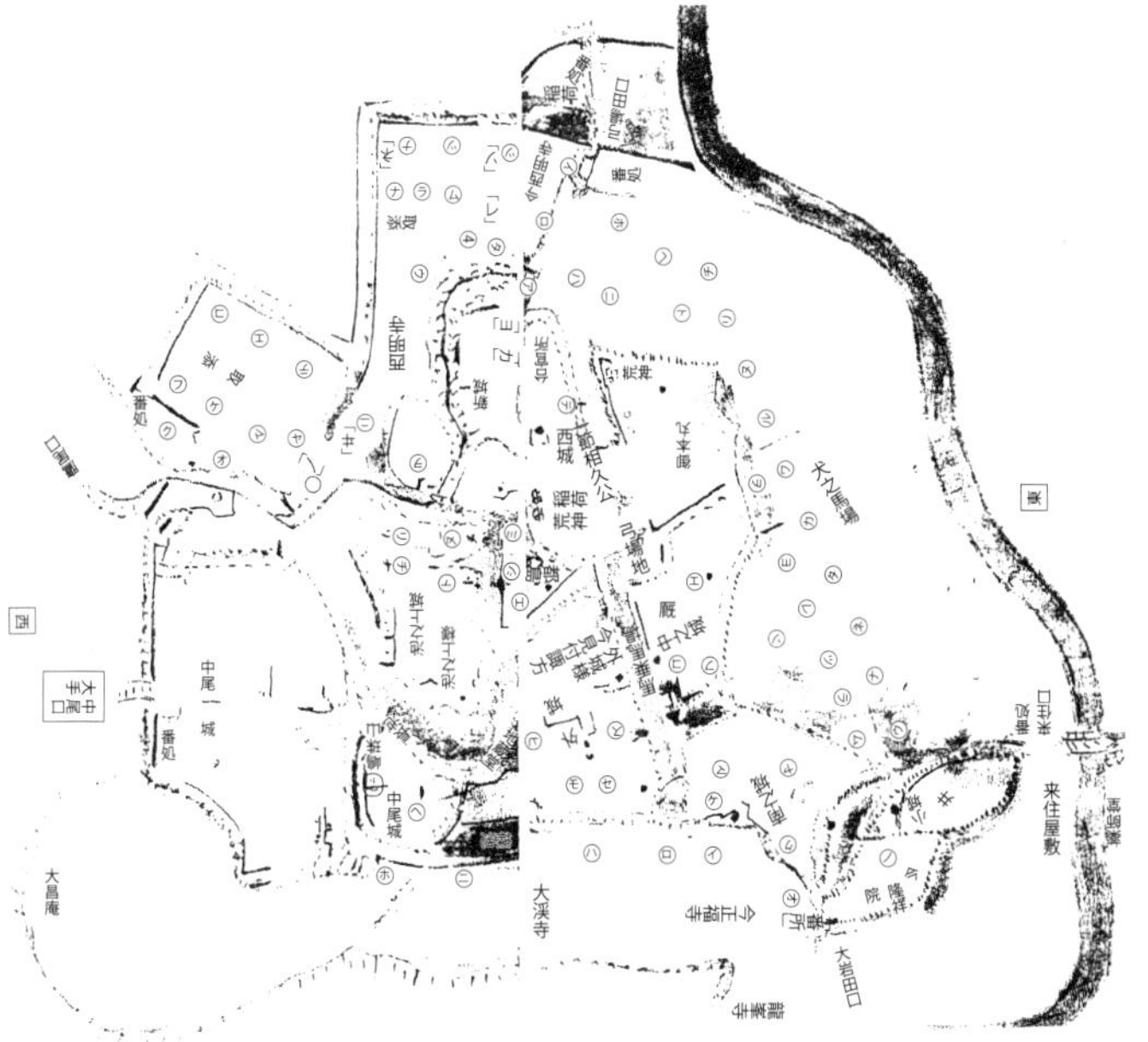

鶴丸城（都城）内惣絵図（『庄内地理志』巻66）（『都城市史』近世編３）

二、都城（鶴丸城）城下町三町の形成

㈠ 本野原三町

都城盆地では、中世から近世にかけて、二回にわたり町造りが行われた。すなわち、元和元年（一六一五）の新地移りをはさんで、新地移り前の都城（鶴丸城）城下町時代の町造りと、新地移り後の都城島津家領主館町場の町造りの二つである。

一回目の町造りは、北郷氏二代北郷義久が南郷都島（都城市都島町）に築城したとされる都城（城の名称）の城下町の造営である。この城下町は、本町・後町・三重町の三町からなり、都城西

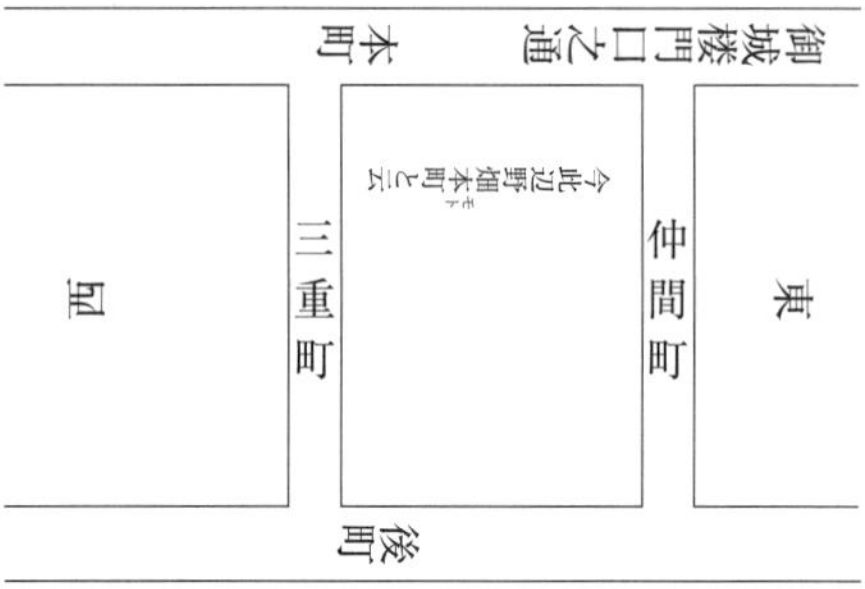

「本野原三町之旧跡」（『庄内地理志』巻68）

口（大手門）にひろがる台地を本ノ原というので、本野原三町ということもある。

都城（鶴丸城）の西口である中尾口にあった都城旧城下町は、簡略ではあるが、「本野原三町之旧跡」（『庄内地理志』巻六八〔五拾町村〕）という絵図に描かれている。矢倉のついた楼門がある中尾口の大手門より西方に「御城楼門之通」といわれた本通りが通り、本通りに面して本町があった。この通りの南にもう一本通りがあって、ここに作られたのが後町である。本町通りと後町通りとの中間（横町）にあったのが三重町である（図に「仲間町」と記入されているが、実体のない町名と思われる）。

(二) 三重町

三重町については、『庄内地理志』巻二七〔新町・大橋〕に次のような記述がある。

「天正十四年、太守義久（宗家十六代島津）薩隅日三州を鎮、筑後・筑前・豊後・豊前・肥後・肥前六ヶ国御出張、讃岐守忠虎公（十一代北郷）豊後え御発向にて合戦、同国三重郷民七百人被召捕られ、御帰陣之節被召列候者共都城本野原え町相立被召置、……後略」

この史料には、三重町住民は、天正十四年（一五八六）島津義久の豊後攻めの時、北郷氏十一代忠虎が召し捕らえて連れてきた豊後国三重郷（大分県大野郡三重町＝現豊後大野市）七百余人を都城（鶴丸城）城下町の本通りと後町通りの間の横町に住まわせたのが三重町のおこりと記されている。同じく『庄内地理志』巻二七に、後町の戸数は六十軒で、三重町の戸数は、後町の戸数の三倍の百八十軒であったことを知ることができる貴重な史料がある。

一天和四年子正月、薩州様（宗家十九代島津光久）東目御通付、三重町・後町より明屋敷囲竹中受度願出、普請方藪銀山より罷出可然被仰渡候（但両町共、向江へ相立候時也）

一垣竹九拾束（但明屋敷数百八十軒・二軒に付壱束当）　三重町

一同三拾束（但明屋敷六十軒）　後町

〔注記1〕天和四年甲子（一六八四）は、三重町が鷹尾口に移転した延宝五年丁巳（一六七七）より七年を経過している。

〔注記2〕島津光久（宗家十九代・官位薩摩守）は、貞享四年（一六八七）綱久（光久長子）の長子綱貴（二十代）に薩摩藩主の地位を譲っている。

この史料によると、天和四年（一六八四）正月、宗家十九代島津光久が当時鷹尾口にあった三重町と中尾口にあった後町を通っている。この両町は七年前の延宝五年（一六七七）に都城（鶴丸城）

西口より、高岡街道沿いに三重町を先頭（鷹尾口）に、後町は三重町の後尾（中尾口）に続き長蛇の列をなしていた。この時の状況は、五拾町村絵図（『庄内地理志』巻六五。後掲）の高岡街道の部分を参考にするとよく理解される。この時問題がおこった。島津光久が鷹尾口の三重町と中尾口の後町を通行するが、既に廃墟と化した都城西口の旧両町の明屋敷（空屋敷）街を通過することになっていたのである。都城島津家が急遽、講じたのが、垣竹を二軒に付一束ずつ支給し、これで、すべて空屋敷を隠そうというものであった。

三重町については明屋敷百八十軒に垣竹九十束を、後町については明屋敷六十軒に垣竹三十束を支給している。三重町の人口は後町の約三倍であったことがわかる。

三重町の人口がこのように突出して多いのは、前述の天正十四年豊後国三重郷より、七百余人もの多数の人々が都城（鶴丸城）城下町に連れてこられたことに起因していると考えられる。

三、新地移り後における都城領四町（本町・唐人町・平江町・新町〔三重町・後町〕）

(一) 新地移りと領主館の改造

元和元年（一六一五）の江戸幕府の一国一城令の発布により都城（鶴丸城）が廃城となり、領主の十二代北郷忠能は、慶長五年（一六〇〇）祁答院《けどういん》（現薩摩川内市）より本領に復帰して以来居住していた都城を下り、宮丸村の下長飯村との境付近（現在の明道小学校あたり）に領主館を造営し、移り住んだ。このことを新地移りと言う。
当時の都城は、宮丸村、上長飯村、下長飯村の三カ村からなり、宮丸村と下長飯村との境が、現在の明道小学校と都城市役所との間を通る国道十号あたりであった。

都城領主館（都城歴史資料館の模型）

明暦二年（一六五六）、十六代北郷久定は父、宗家光久の命により、領主館を改造し、東方に十町（一町は六十間・約一〇八メートル）、すなわち現在の都城市役所のあたりに移した。と同時に、「城内」域を広げた。『庄内地理志』では、この新しい領主館を下長飯御館と呼び、巻三一～四七の十七巻を下長飯御館の説明にあてている。

寛文三年（一六六三）北郷忠長（都城島津氏十七代・宗家光久三男）は父の島津光久（宗家十九代）の命により、北郷姓を改め、島津姓に復し、都城島津氏と称されるようになった（「島津復姓」）。都城島津氏の代数は北郷氏の代数を引き継いだ形となっている。

領主館の造営の進捗につれて、その周辺には都城島津家の家臣団が旧都城城下より移住してきた。都城島津家では、領主館を城と見立て、領主館とその周辺に家臣団が居住する地域を

「城内」と称して、立ち入りを禁止していた。この城内には、北口・東口・西口があり、それぞれ番所があった。南口・南口番所はなかったが、城内の南は崖や河川があり、要害の地形をなしていたので、出入口や番所などは不要であった。現在は、崖を潰し、河川（姫城川など）に橋を渡し、国道十号が走っていて、地形が一変している。

都城島津家領主館（下長飯御館）

①領主館（下長飯御館）：都城島津家当主の居館（鹿児島藩内では地頭仮屋）。明治四年十一月十四日都城県が置かれ、その県庁が下長飯御館に置かれた（明治6年1月15日まで）。現在、同地に都城市役所がある（都城市姫城町6―1）。江戸期において領主館は下長飯村にあったので、下長飯御館と言った。

②都城館・都城県庁跡碑：前田厚著述『稿本　都城市史』下巻の口絵に「都城館・都城県庁跡碑（市庁舎他）」という写真が掲載されている。都城市教育委員会が建てた「史跡都城県庁跡」と刻まれた碑と「史跡都城領主館」と墨書された保存柱がある。この場所に下長飯御館があって、江戸期都城の歴代領主がここに住まったことを証するものである。

③表門：下長飯御館の正門。現在、市役所第一駐車場出入口となっている。

④御門馬場：下長飯御館の正面の通りで、老中馬場に通ずる。

⑤老中馬場：都城島津家の重臣たちの屋敷が建ち並んでいた。東口番所に通ずる。

⑥東口番所跡碑：老中馬場の東端には、都城教育委員会が建てた東口番所跡と刻まれた石碑（保存柱）と標柱がある。

⑦御屋敷通り（国道一〇号）：この通りは宮丸村と下長飯村の境でもあった。元和元年（一六一五）江戸幕府は、諸大名に一国一城の令を下した。都城の領主十二代北郷忠能は、居城の都城（鶴丸城）を下り、領主館を宮丸村の下長飯村との境付近（明道小学校辺り）に設けた。都城の新地の市街地の基礎はこのときにできた。明暦二年（一六五六）十六代久定（宗家光久二男）は、宗家光久の命により、領主

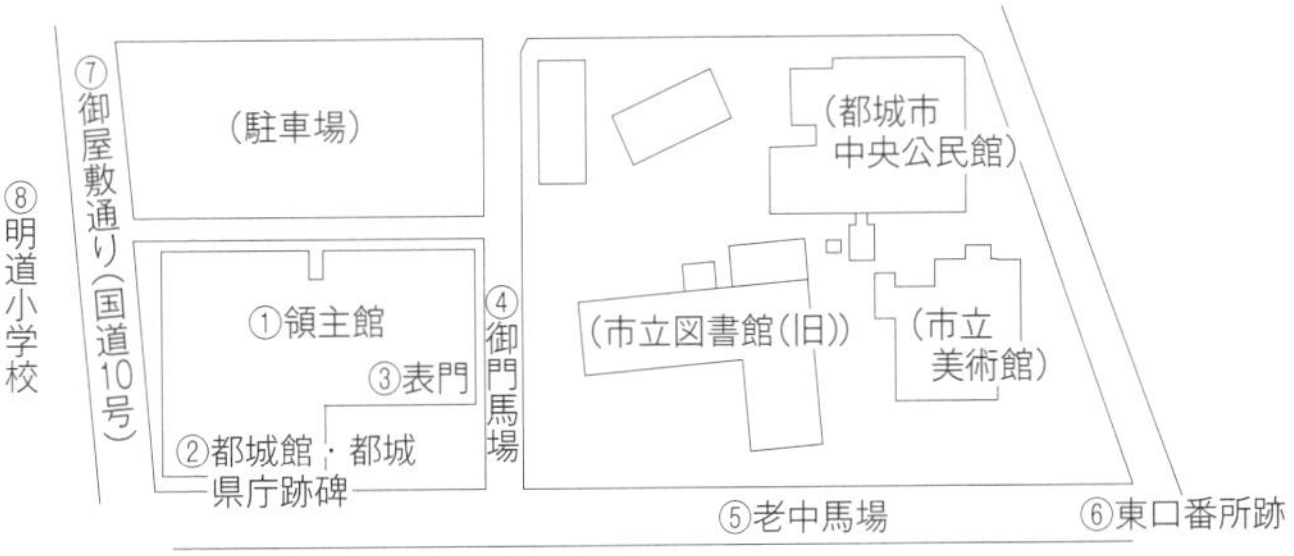

都城島津領主館（下長飯御館）と周辺図（著者作図）

都城領主館跡碑（右）と都城県庁跡碑（左）（後方の建物は市庁舎）

史跡　東口番所跡

「史跡　御屋敷通り」説明板

館を改造し、東方に十町（六十間・一〇九メートル）移動した。現在の市庁舎辺りである。現在の都城市役所の所在地は姫城町になっているが、当時は下長飯御館であったので、『庄内地理志』では、下長飯御館とある。

⑧明道小学校：国道一〇号（屋敷中通り）の西側にある。

⑨御屋敷通りの史跡説明板：国道一〇号沿いの明道小学校庭に都城教育委員会が建てている。

明暦以前島津領主館指図

明暦二年（一六五六）の領主館の改造については、『庄内地理志』巻三一（下長飯御館一〔凡例・御内輪・御近習・御納戸〕）の「御殿旧作之図説」に、『次郎左衛門久定公御代明暦二年、依太守光久公之命御館本宅一町東隣え御作事、八月より御造立、同十二月終之由……攻略』とある。すなわち、十六代久定（宗家光久二男）の御代の明暦二年（久定が都城島津家の家督を相続した年）、宗家島津光久の命令により、御館（領主館）を本宅の一町東に造立した。工事は同年に着手され、同十二月に終了している。

『庄内地理志』同巻には、「明暦以前島津領主館指図」が掲載されている。指図とは略図のことであるが、この指図には、部屋の保有者（部屋割り）に、後室様、自肯院様とあるのは、

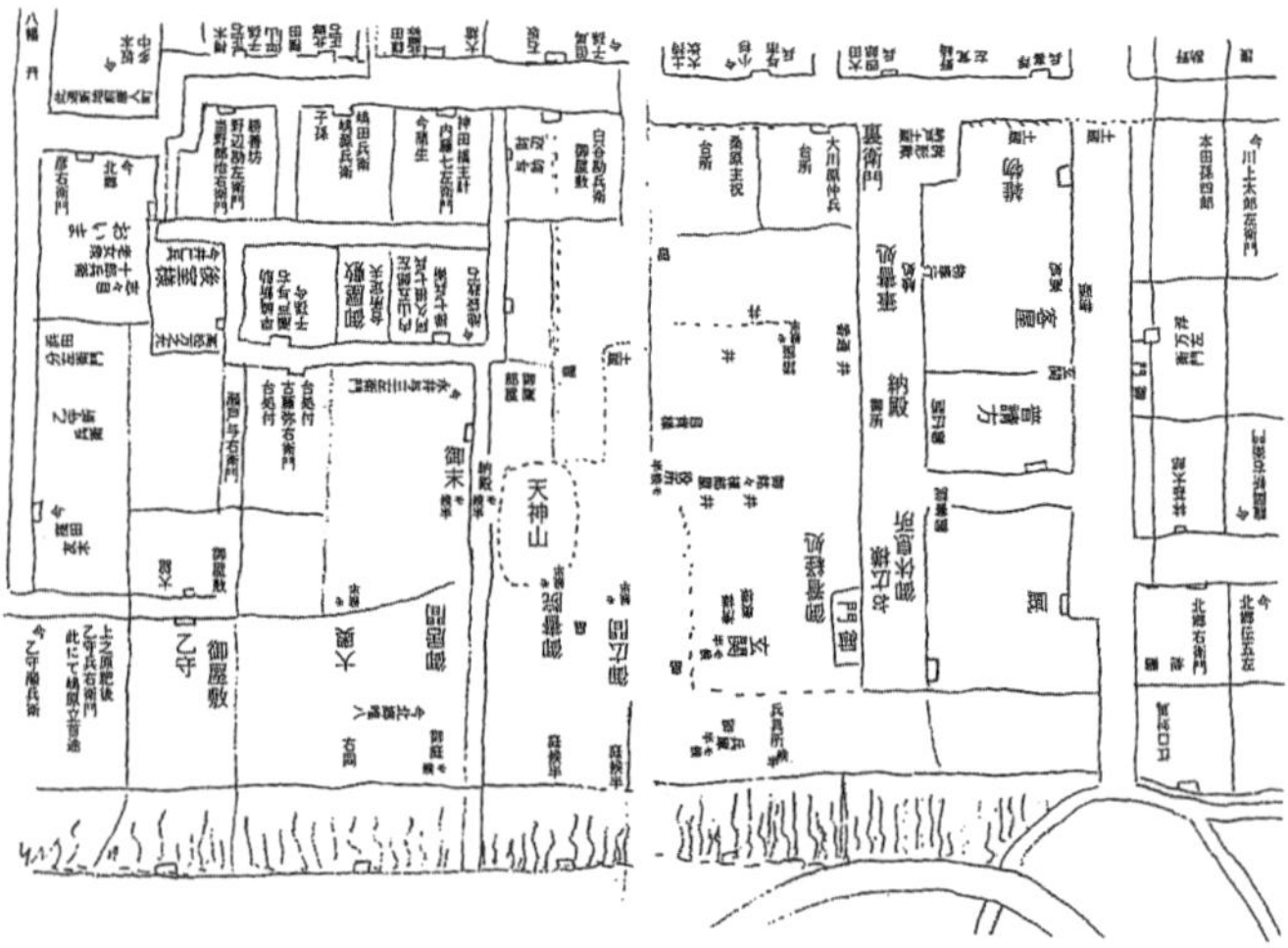

【明暦以前島津領主館指図】（『庄内地理志』巻31・『都城市史』資料編 近世2）

二十一代久般の自肯院殿賢室恵明大姉のことで、都城島津家関係史料には自肯院で頻出する。

自肯院は、二十一代久般（一七四六〜六一）の夫人であったが、夫の久般が宝暦十一年（一七六一）江戸で疱瘡にかかり、在位すること四年、わずか十九歳の若さで、死去している。自肯院はその時、二十歳の若さであったが、久般より六十年ほど長生きして、安山松厳が著した『年代実録』によれば、文政三年（一八二〇）七月十三日、七十九歳で死去している。

久般死去の翌年の宝暦十二年、夫の弟の久倫がわずか三歳の若さで二十二代を継承し、久倫の都城領政は同年から文政二年（一八一九・この時隠居して、長男久統に譲位している）までの五十七年の長きに及んだが、その間、自肯院は、下長飯御館において後室様として重きをなしていたと考えられる。

このように、自肯院が都城島津邸において、後室様として重きをなしたのは、夫の久般が死去した宝暦十一年より自肯院が死去した文政三年までのことなので、「明暦以前島津領主館指図」とあるのは当たらない。明暦以後島津領主館、つまり、下長飯御館のこととなろう。「明暦以前島津領主館指図」は大変興味深いことが多く記載され、貴重な史料であるが、その表題について、大きな疑義が生じている（この項、佐々木綱洋『都城島津家墓地』第十八節　自肯院と久般・久倫）を参照）。

㈡　都城領四町

新地移りにともなって、これら家臣団の食料や日用品をまかなうために、その周辺に町（商人街）が形成された。都城領四町といわれるが、以下の四町である。

【本町（現在は上町）】　新地移り時に旧城下町の本町が現在の上町付近に移った。

【唐人町（現在は中町）】　湯田八幡鳥居付近（都城裁判所隣地）に住んでいた祁答院から連れ帰った

明人たちを、現在の中町に移した。

【平江町（現在も平江町）】　新地移り時に、高木村にあった伊東氏の町場である「平江町」が現在の平江町に移った。高木村の平江町は元平江と言われるようになった。

【新町〔三重町・後町〕（現在は西町）】　旧城下町の三重町と後町を、本町よりかなり遅れて元禄五年（一六九二）にそれぞれ、現在の西町に移し、さらに両町を合併して新町とした。

都城領四町の成立は、必ずしも円滑なものではなく、かなりの紆余曲折があった。四つの段階、あるいは局面を経て形成された。

①最もスムーズに新地に進出したのは、都城城下町の中心的町場であった本町で、新地移りに際して、いち早く、新地（都城市上町付近）に移転し、都城島津家町の中心として重きをなした。

②しかし、同じく都城城下町の一角を成していた三重町と後町の新地移転は遅滞した。このことも関係して生じた新地での商人の不足を補う必要から、それぞれ別地から商人を招来して唐人町と平江町の二つの新しい町場がつくられた。

③最も困難をきわめたのは、三重町と後町の新地移転の問題であった。この問題に対応することで、都城島津家領町場づくりは新たな展開を迎えていくのである。

以下、本町の移転から唐人町・平江町の新しい誕生という段階までを本章で、三重町・後町の移転という新たな段階への展開については、章をあらためて第2章で見ていきたい。

第二節　新地移りによる都城島津家領町場の形成

一、本町の新地移転

都城城下町三町の中心的町場であった本町は、新地移りに際して、いち早く、新地（都城市上町付近）に移転し、都城島津家領町場の中心として重きをなした。

「幕末都城の図」（前田厚『都城地名考』付図2。次ページ掲載）で、広小路と本町を説明する。広小路・本町・唐人町・平江町は、領主館北口より真北に延びた高岡街道（この区間、国道十号と重なる）に連なる。ただし、唐人町と平江町の間の後の前田町には、町場はなく田地であった。

□広小路（広口馬場）：領主館北口より本町入口まで。都城合同庁舎東側一帯。

〔注記①広小路〕都城島津家領の政治・交通の中心で、高札が立ち、会所・客屋・馬継所・十六里塚などがあった。

〔注記②広口〕広小路の「広」と北口の「口」を合わせて「広口」と言い、現在でも「広口交差点」という言い方で使用されている。この広口は都城領内十二街道の原点でもあった。都城がミニ薩摩藩と言われる所以である。

□本町：本町入口から、円通庵橋南の袂《たもと》まで百二十間。
〔注記①円通庵〕本町と唐人町との境にあった禅寺。妙心寺派臨済宗二厳寺最末寺（二厳寺末寺西明寺の末寺）。

〔注記②円通庵橋〕現在の旧大丸交差点付近にあった橋で、この橋は現在はない。

〔注記③円頭庵通り〕旧大丸交差点から西の方向に延びる道路を言う。この場合、「円通庵」（えんつうあん）が「円頭庵」（えんづあん）と訛っている。

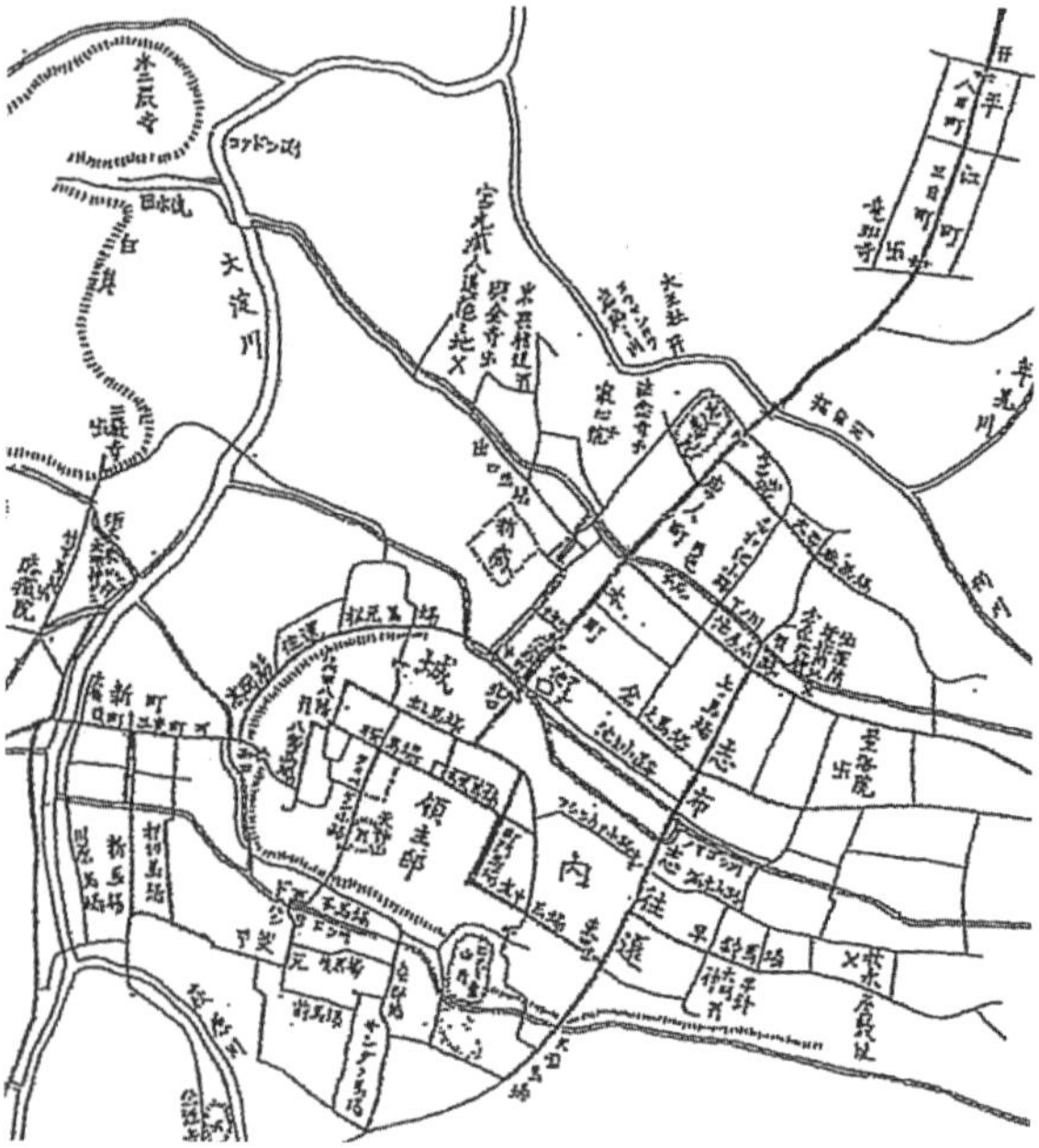
幕末都城之図（部分）にみる「広小路」「本町」と「唐人町」「平江町」（前田厚『稿本 都城市史』口絵）

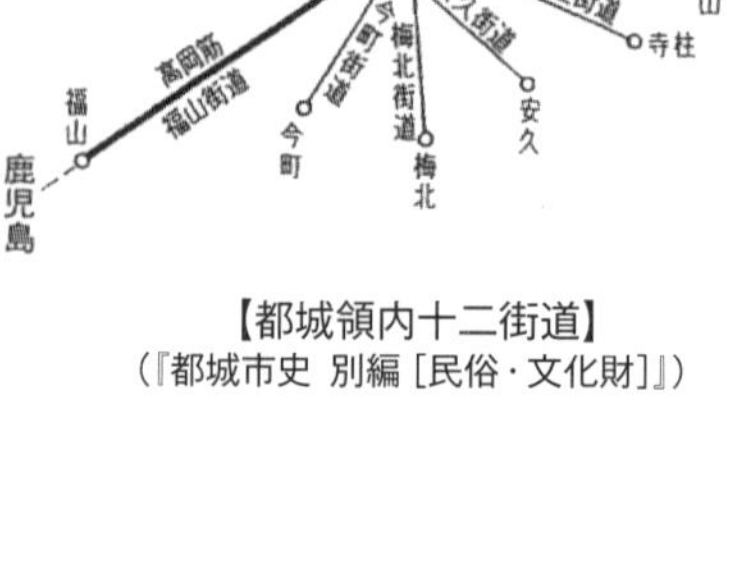

【都城領内十二街道】
（『都城市史 別編［民俗・文化財］』）

二、唐人町と平江町の誕生

北郷忠能の新しい町造りには、多くの優秀な商人を必要とし、三重町・後町の新地進出が遅滞したことも関係して生じた新地における商人の不足を補う必要から、それぞれ別地から商人を招来して、唐人町と平江町の二つの新しい町場を作った。

(一) 唐人町（現在の中町）の誕生

北郷忠能は、薩摩祁答院虎居城（鹿児島県薩摩郡さつま町虎居）から都城に連れ帰り、湯田八幡鳥居付近（都城裁判所隣地）に住まわせていた唐人（明人）たちを、現在の中町に移した。

この唐人町は円通庵橋の西の袂から、前田橋の東の袂までの百四十四間。隣町の本町の長さは前記のように百二十間であるので、本町より、唐人町が二十間（約四四メートル）長いが、文政十年（丁亥・一八二七）耶蘇教徒調査の名簿（『庄内地理志』巻一四）では、本町男女五百十三人、唐人町男女二百八十人とあって、人口は本町の方が断然多い。このことについてはいろいろと考えられるが、ここでは省略する。

ここで、都城の唐人の由来について概説する。都城の唐人は、都城領であった内之浦（鹿児島県肝付郡肝付町）が、当時、明船の渡来地であったことに起因する。天正年間（一五七三〜九二）後期に内之浦に渡来した明人たち（一回目の渡来）が、本領の都城に連れて来られ、当初、安永城下の諏訪神社（都城市庄内町）の鳥居付近に住まわされたのち、祁答院移りで文禄四年（一五九五）、薩摩祁答院湯田八幡鳥居付近に連れて行かれたが、北郷氏の都城復帰の時、忠能が都城に勧請した湯田八幡鳥居付近（都城裁判所隣地）に住まわされていた。

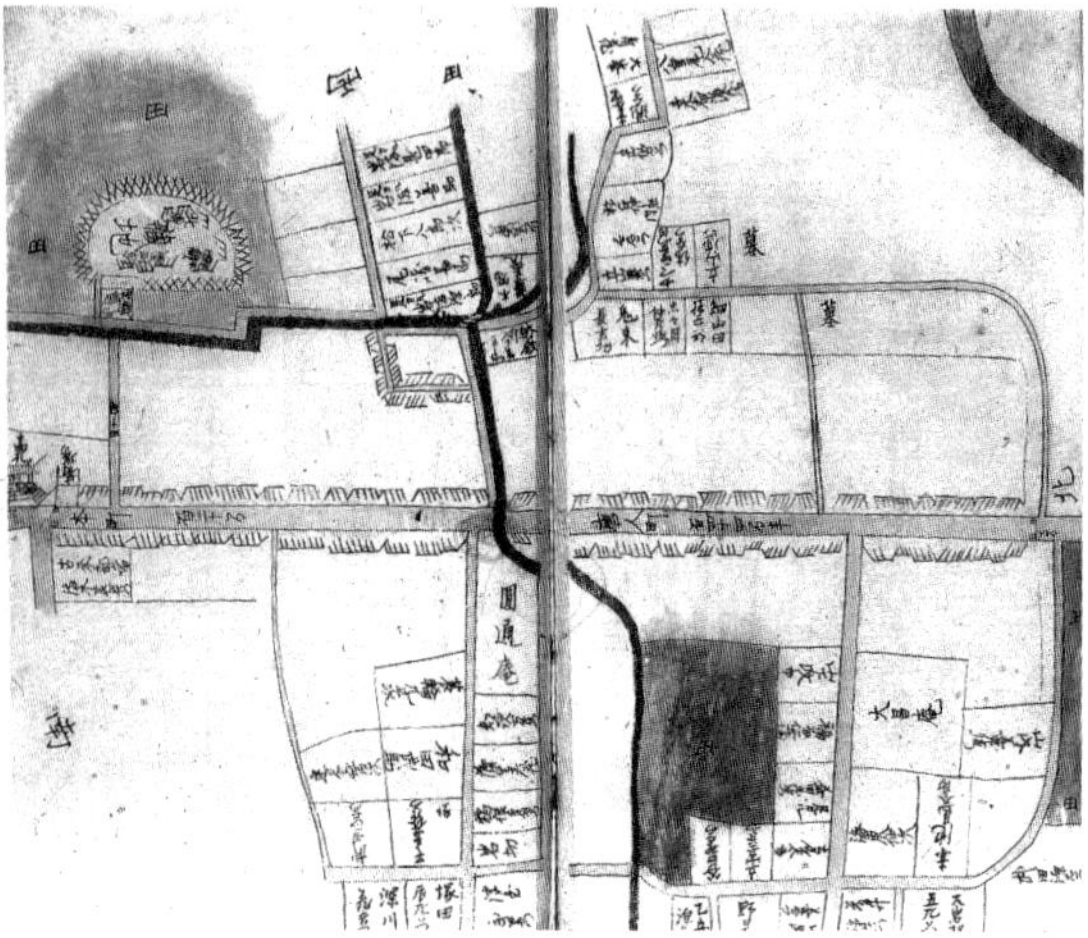

唐人町・本町屋敷図
（『庄内地理志』巻14・『都城市史』史料編 近世１）

「宮丸村本邑邸宅画図」（『庄内地理志』巻一二（宮丸村本邑・湯田八幡・諸士邸宅））に、湯田八幡鳥居に向かって右側にある歴代住持坂元家（朱書　八幡宮社司坂元山太輔以来代々）脇の道に「ハマン」（八幡の意味か）とあって「鳥居ノ脇ヨリ此通唐人町」との注記がある。また、『庄内地理志』巻三一の絵図「明暦以前島津領主館指図」（指図は略図のこと）に、湯田八幡鳥居脇に「此通新地前唐人町」（この通りは新地移り以前は唐人町であった）とある。今町より西都城駅に通ずるバス道路に「八幡町」というバス停がある。また、八幡町という、かなり広域

八幡町バス停

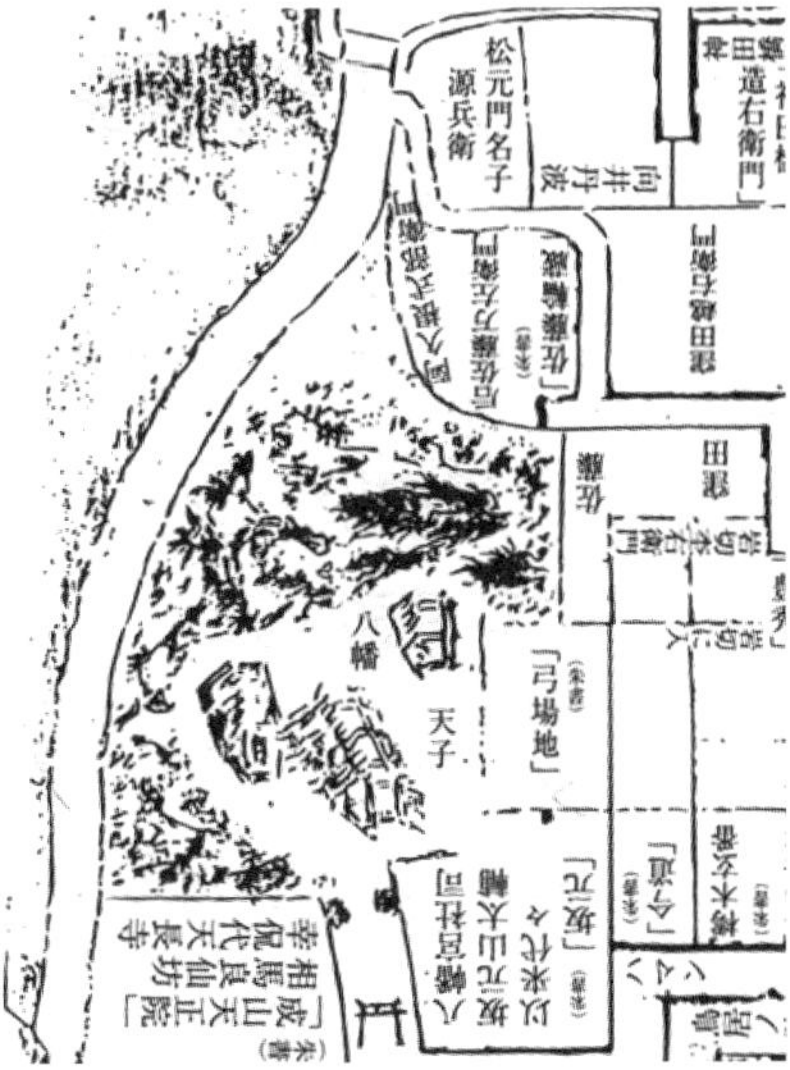

「宮丸村本邑邸宅画図」（部分）
（『庄内地理志』巻12・『都城市史』
史料編 近世１）

の町名がある。いずれも湯田八幡に由来する。

この湯田八幡鳥居付近は、都城（鶴丸城）からはかなり離れていたが、新地移りで、新しい領主館区域（城内）に入ったことから早晩、転居を迫られる状況にあった。ちょうどその頃、十二代忠能の新しい町造りが進行中であった。多くのすぐれた商人を必要としたので、幸運にも都城領町場の中心的町場であった本町に隣接する位置（現・中央通り中町）に移動し、本町とともに都城領の商業を担うこととなった。この時の明人子孫の名前などは、都城の近世史料には残っていない。

中町唐人町の成立後の寛永年間（一六二四〜四四）初期に内之浦に渡来した潮州（広東省東部）船に乗船していた明人が中町唐人町に案内された（第二回目明人の渡来）。この第二回の明人渡来のリーダ格の氏名が『庄内地理志』巻一四（唐人町）に何欽吉・天水二官・江夏生官（七官）、清水新老・汾陽青音の五人が記されている。何欽吉だけが本名で、他の四人は、それぞれが属する宗族の本貫地（宗譜上の原籍地）からとった日本名であり、彼らの出生地あるいは出身地などではない。広東省東部潮州澄海県出身の何欽吉を最高リーダーとして潮州船に乗り、内之浦に渡来しているので、彼らも広東省東部沿海地に居住していたと思われる。

(二) 平江町の誕生

唐人町の移転につづいて、新地移り前に都城領の高木村にあった、伊東氏の町場であった平江町の商人たちが現在の平江町に招かれた。この平江町は、領主館北口から北に延びている高岡街道に沿ってはいるが、唐人町よりさらに北、前田川を越えた、領主館からはかなり遠く離れた地点にあった。当時は他国出身者ということで警戒されたようである。高木村の平江町に残った人々もあったようで、高木村の平江町は元平江（町）といわれるようになった。

『庄内地理志』では、巻九一（野々三谷三（高木村凡例・平江町））は欠本になっているが、平部嶠南『日向地誌』（明治十七年完成）都城郷の字地の箇所に「平江町：本村の北、高木川の西崖ニアリ、人家十七戸此地町ヲ以テ名ヲナスト雖モ人烟粛寂商家半ハ農ヲ以テ生計ヲ助ク」とある。『庄内地理志』の高木村に該当する巻が欠損となっているだけに『日向地誌』のこの記述は貴重である。

近世江戸期の平江町は、「幕末都城之図」などにもあるように、三日町（町の南域）と八日町（町の北域）の町域に分かれていた。平江町がこの二つの町域に分かれたのは、高木村の平江町時代からのようである。『庄内地理志』巻九一（平江町）には、三日町の町名の由来について、「三日町・古来より、市日三日・十三日・二十三日」とあり、伊東領の町場であった平江町の三日町では、毎月、三回の定期市が開かれていたと思われる。なお、同町の八日町では、八日・十八日・二十八日の月三回の定期市が開かれていたと思われる。江戸期の平江町の三日町と八日町でも、三斎市が伊東氏時代と同様に開かれていたかは不明である。

平江町は唐人町と同様、都城（鶴丸城）の城下町ではなく、また何れも新地移り後の間もない時期に成立していて、都城島津家領では三重町と後町の新地移りが難航したこともあって、商人と町場が不足しており、都城城下町以外から商人を招致する必要があったという共通した背景があった。

第三節　三重町・後町の鷹尾口・中尾口への移転

―「五十町村図」を読み解く―

まえがき

三重町・後町の西町移転については、『庄内地理志』巻二七（下長飯本邑十二（新町・大橋））に「元禄五年（一六九二）三重町・後町之儀訴訟申上、当時之場所（現在の都城市西町）へ罷移候」とある。元禄五年、大淀川以西の都城城下町より三重町と後町が、この川の以東の領主館西口の荒れ地（現在の都城市西町）に移転したのは、新地移り後も、領主やその家臣団が新地に去った旧城下町に残されたことにより、生活に困窮した両町町民が領主の都城島津家に執拗に繰り返した訴訟（嘆願）が聞き届けられたことによる。との記述である。

この三重町・後町の西町移転に関する記述は僅か一行、二十四文字の記事ではあるが、この事件の経緯や背景、影響・歴史的意味について、深く考察する必要がある。

本節と次章では、特に、三重町・後町新地移転のため、領主館西口の荒れ地を開発して商業地とする都城島津家と三重町・後町町民との訴訟合意にもとづき、従来、龍泉寺坂を都城（鶴丸城）北口の弓場田口前を真直に下り、竹之下橋を渡り、堂川《どんがわ》の北岸をゆき甲斐元（都城市甲斐元町）に出て、志布志街道と合流していた高岡街道が、九〇メートル北、下流の現在の架橋地点に移設された竹之下橋を高岡街道が渡ることになったことが、都城島津家領町場の形成と発展とどう関わるかを明らかにしたい。

一、三重町・後町の移転問題の発端

前節に見たように、領主館の北側には本町・唐人町・平江町の三町が町場として形成されたが、三重町と後町の新地への移転は難航した。

新地移りの時、三重町と後町の新地への移転も検討された。しかし、予想外の不都合が生じて両町の新地移転は大幅に遅れる結果となった。

三重町と後町は当初、蔵之馬場《くらんばば》に移転が決まっていたが、蔵之馬場（広小路を本町入口で右折する。現在の上町自治公民館の通り）が、既に廃城となった都城（鶴丸城）を見透かして本丸跡の蔵が見えるということで、『庄内地理志』巻二七によると城山のまわりの草木が茂ってから移ることになっていた（「三重町・後町新地え被召移候でハ御城を見すかし、殊に御本丸え御蔵有之、万事為御囲御城之茂候迄可被召置旨被仰付」)。

このように、『庄内地理志』には、当時の蔵之馬場から周囲に草木の茂みのない、既に廃城となった都城の本丸跡の蔵が丸見えであったことが、都城島津家にとって不都合であったと記しているが、それは、新地移り当初のことで、それ以後は、それよりも、蔵之馬場が新しい都城島津家領主館に近いことから、後町のおよそ三倍の人口を有する、他国出身の三重町住民の蔵之馬場居住が問題となり、また、家臣団の屋敷を配して領主館の防備を固める必要もあったのではないか。

つまり、蔵之馬場は領主館に近すぎ、とくに三重町住民は他国人(豊後国三重郷出身)であるので、三重町・後町の新地移転先としては適当ではないとのことで、このことは中止となった、と考えられる。

そのうち、蔵之馬場は武士居住地となり、自然と、三重町と後町の蔵之馬場への移転問題は立ち消えとなった。天保九年(一八三八)の幕府巡見使一行は、この蔵之馬場を通って、寺柱街道で牛之峠を越えて、飫肥伊東領の巡見に赴いており、蔵之馬場通りは幕末においては、都城領の政治・経済・交通の中心であった広小路に続く幕府の公道であり、都城島津家領の「表通り」とも言える重要な通りとなった。

二、三重町・後町の向江町時代

領主やその家臣団が新地に去り、旧城下町に取り残された三重町・後町の住民の生活難は深刻で、三重町・後町の新地への移住への要請が領主である都城島津家へくりかえされた。

そこで、都城島津家は一つの解決案として、延宝五年に、新地とは言えないが、新地により近い地として、三重町は、元服坂を下って来た高岡街道が龍泉寺坂の最上部と交差する鷹尾口、後町は三重町のすぐ後方の中尾口へと移転した。

この三重町の鷹尾口移転、後町の中尾口移転が延宝五年であったことは、『庄内地理志』巻七一（鷹尾口一〔五拾町村〕）に収められた、三重町より出された口上覚（訴状）により知ることができる。

延宝六年戊午七月二十三日の日付の三重町部当嘉右衛門・部当二宮八右衛門の両名の署名・押印のあるこの口上書には、「去冬より鷹尾口に御付被成候様被仰出」とあり、三重町は、昨年の延宝五年の冬、中尾口の旧城下より鷹尾口に移住したが、商いがないため、生活は困窮し、また、住民は農民になったとの風聞が広がったことで、嫁に来る者が無く、男やもめが増え、人口は減少していると訴え、速やかな新地への移転を懇請している。

両町は合わせて向江町といわれたが、当時の竹之下橋の西袂《たもと》より、龍泉寺坂（ジュセンジ坂・都城霧島線の一部）の最上部を見上げると、三重町の先頭部分が僅かながらのぞかれたので、向江町と呼ばれた。鷹尾口は都城（鶴丸城）の西北口（都城市南鷹尾町付近）である。

三、「五拾町村絵図」が伝える向江町時代の三重町と後町

『庄内地理志』巻六五（中尾口一（西五拾町村））に一枚の古図が描かれている（次ページ掲載）。この絵図は描写された集落名とその位置・寺院名・橋梁・関連文献史料などから勘案して、旧城下町にあった三重町・後町が高岡街道が通る鷹尾口・中尾口に移された延宝五年丁巳（一六七七）の五拾町村（都城市都島町）を描いた貴重な古地図（歴史地図）であることが判明した。

「五十町村絵図」にあるように、高岡街道に沿って一列に、旧城下町時代、百八十軒の住民を有した三重町を先頭部分に、その後尾にその三分の一の六十軒の住民を有した後町が続いた。向江町時代の三重町は鷹尾口と言えるが、後町の部分は中尾口である。向江町時代の三重町と後町は鷹尾口から中尾口に及ぶ長蛇の列であった。

「五十町村絵図」（次ページ）の説明

1. 「本町口ヨリ末吉境迄一町」とあるが、一里に訂正。
2. ①平長谷の一里塚（平塚町）の一里塚。高岡街道十五里塚。志布志道路五十町ＩＣより東二〇〇メートルほどの国道沿いに一里塚バス停留所がある。平塚町は都城市の町名で、平長谷と狐塚という古名の合成地名である。
3. ②仮ヤ（元服茶屋・仮屋）。都城島津家専用の茶屋。都

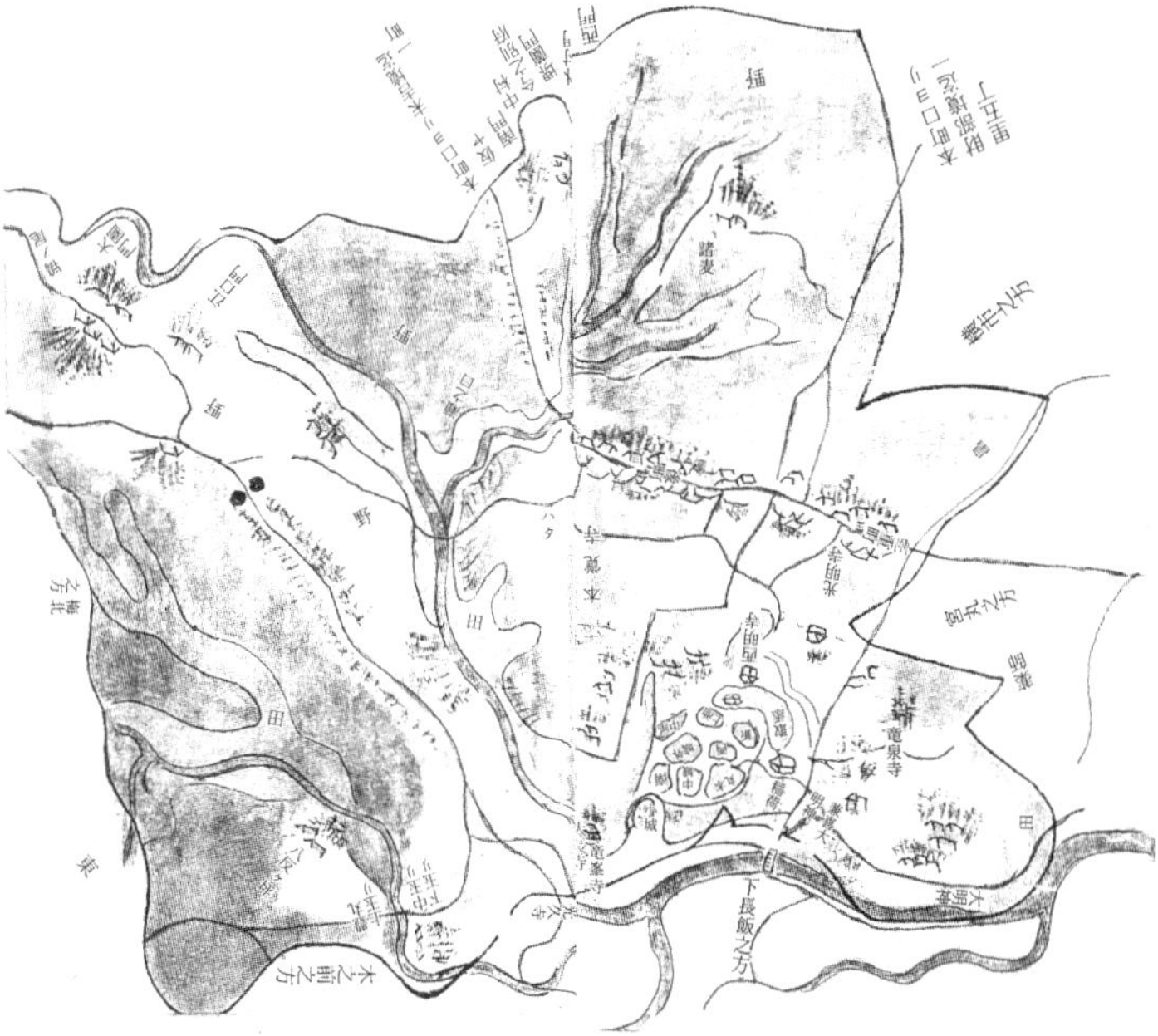

「五拾町村絵図」（『庄内地理志』巻65・『都城市史』史料編 近世３）

城島津家の嫡男が鹿児島城（鶴丸城）での元服式に赴く都城島津家の嫡男がこの茶屋で一休みして都城領を後にするのが通例であったので、元服茶屋と言われた。仮屋は島津宗家に対する謙譲の言葉と思われる。使用例として、地頭仮屋、仮屋馬場などがある。

4．③元服坂。高岡街道を都城に向かって進み、平長谷の一里塚（平塚町の一里塚）を過ぎ元服茶屋のところで左折すると、この坂に出る。

5．④向江町時代の後町の町並み（中尾口）。

6．⑤向江町時代の三重町の町並み（先頭部分は鷹尾口・都城市南鷹尾町）。

7．⑥本覚寺。都城島津家代北郷忠虎（文禄三年朝鮮で没）の埋葬地に慶長十四年（一六〇九）建立された忠虎の菩提寺（浄土宗）。延宝五年（一六七七）十念寺と寺号を改めた。

8．⑦西明寺（臨済宗二厳寺末寺）。古西明寺とも言う。弓場田口の新西明寺ではない。二代義久をはじめ都城（鶴丸城）在城時代の都城島津家当主やその家族の廟所（遺骸埋葬地）である。都城島津家墓地の一つ。

9. ⑧中尾口（都城お西口）。都城（鶴丸城）の大手門で、矢倉のついた楼門であった。中尾口の西方に城下町があった。

10. ⑨都城（鶴丸城）の本丸。現在、都城歴史資料館がある。

11. ⑩龍峯寺都城島津家墓地。通称島津墓地。

12. ⑪龍泉寺（ジュセンジ）。この寺は最初、鷹福寺と称し、室町時代、梶山（宮崎県北諸県郡三股町）に創建されたが、天正七年（一五七九）、都島（都城市都島町）に移されて常徳寺と改め、さらに寛永十六年（一六三九）、龍泉寺と改めた。

13. ⑫兼喜神社。都城領主十代北郷時久の長男相久を祭った神社。

14. ⑬龍泉寺坂。龍泉寺の前を通るのでこの名称がある。都城ではジュセンジ坂と訛って言った。元禄五年（一六九二）鷹尾口にあった三重町とその後部に一列に後町が続いていた向江町時代の両町が現在の西町に移転して新町という新しい町場を造成した時、この新町の本通り（現在の本町本通り）に接続したので、この龍泉寺坂はかなり屈曲して、竹之下橋につながることとなった。現在、一部に陸橋が架けられたこともあって、龍泉寺坂は変容を重ねており昔年の面影はない。

15. ⑭弓場田口。都城（鶴丸城）の北口。元禄五年に古い竹之下橋が現在の架橋地点に移動する以前は龍泉坂に面していたが、現在は、都城霧島線の脇道（実は龍泉寺坂の道筋）に面している。

16. ⑮竹之下川。大淀川の竹之下橋付近を竹之下川と言う。

17. ⑯竹之下（川）橋。元禄五年（一六九二）以前の古い竹之下橋。現在の竹之下の架橋地点より五十間（約九〇メートル）上流に架橋されていた。元禄五年、三重町と後町が現在の西町に新町を作った時、新町（現在の西町）の本通りにあわせて現在地に移設された。

18. ⑰堂川。姫城川下流で竹之下川に注ぐ。

19. ⑱光久寺。臨済宗妙心寺派二厳寺末寺の寿仙寺末寺の前寺名（古名）。宗家五代貞久五男島津四郎左衛門光久（北郷氏初代資忠の甥。法名寿仙為大禪定門）の菩提寺。後年、島津宗家十九代島津光久の諱（実名）を避け、寿仙寺と改められた。

【①中尾口から鷹尾口に移転した三重町と後町（向江町）の街並み】

この「五拾町村絵図」では、竹之下橋のたもとに通ずる龍泉寺坂の上手に三重町の頭がかすかに覗き、三重町の後には、後町の町並みが描かれている。都城旧城下町三町の一つであった本町は見当たらないが、すでに新地の本町（現・上町）に移転ずみであったのであろう。この絵図は、三重町と後町が中尾口の旧城下町を捨てて、新地により近い龍泉寺坂の上手の鷹尾口に移って来ていた時期（向江町と呼ばれた頃）の五拾町村（都城市都島町）を描いた古図ということになる。

【②現在の架橋地点より四、五十間上流に架けられていた竹之下橋】

現在の竹之下橋は、元禄五年（一六九二）、旧城下町の三重町と後町が現在の西町に移り、両町をあわせて新町をつくる時、新町の位置に合わせて架橋した橋であって、「五拾町村絵図」に描かれている竹之下橋の架橋地点は、現在の竹之下橋の架橋地点ではない。大淀川支流である梅北川（豊丸川）と萩原川（中郷川）との合流点と堂川とも言われた姫城川の合流点との間の、現在の竹之下橋の架橋地点より四、五十間（一間＝一・八《メートル》）上流の地点が渡船場のあったところで、ここに古い竹之下橋も架橋されていた。四、五十間下流に新町が今の西町にできたことで、竹之下橋が新町の位置にあわせて四、五十間、下流に動かされることとなった。

『庄内地理志』巻二七（新町・大橋）には、大橋（現在の竹之下橋）の大きさと架橋地点について、次のような記載がある。

大橋　長三拾六間　広弐間　御手形申節ハ、長四拾間

一此大橋古来無之、舟渡し之由、今之通船方船頭木やしき、舟守屋舗にて、当時大橋之場より四、五拾間川上……攻略

〔注記①〕当時という言葉には、①その頃、過去のその時という意味と、②現今、ただ今という二つの意味がある。ここでは、②現今、ただ今という意味で使用されていると考えられ、『庄内地理志』が編纂された当時の大橋のことを言う。元禄五年（一六九二）の三重町・後町の西町移転に際して、四、五拾間川上（北方）にあった古い竹之下橋の架橋地点より、現在の竹之下橋の架橋地点に移されているが、それ以後、竹之下橋の架橋地点は変わっていない。『庄内地理志』に「当時大橋の場」とあるのは、現在の竹之下橋（岳下橋）の架橋地点のことと思われる。

〔注記②〕「今之通船方頭木やしき、舟守屋舗にて、当時大橋之場より四、五拾間川上」の箇所については、絵図「三重町・後町」（54ページ掲載）が参考になる。同図では、堂川（姫城川下流）の河口付近（現在の竹之下橋のより四、五拾間川上）に通舟方木屋、通船方船頭などが記されている。堂川河口部は、江戸期の竹之下川（淀川）河川交通の要衝で、通船方が置かれていたのであろう。

〔注記③〕「四、五拾間川上」について

本書では、この「四、五拾間」を約九〇メートルで統一させている。一間は一・八二メートルであり、四十間は七二・八メートル、五十間は九一メートルとなるので、約九〇メートルと概算した。

〔大意〕竹之下橋は、初め橋はなく舟渡しであった。渡舟の船着場は、現今の竹之下橋（岳下橋）より約八〇メートル川上（北方）、堂川（姫城川下流）の河口部であった。その後、その同じ場所に板橋が架けられたが、元禄五年（一六九二）三重町と後町が領主館西口（都城市西町）移転した時に、現在地に移された。

【③元禄五年以前は、竹之下橋に真直に連結されていた龍泉寺坂】

都城市都島町にあった臨済宗寺院である万年山龍泉寺の前を通っている坂道であるのでこの名があるが、発音が訛ってジュセンジザカとなった。竹之下橋の西の袂から、都城公園（旧陸軍墓地）前を通って、鷹尾・都城自衛隊方面に向かう道筋であるが、現在は陸橋（岳下橋）が出来て江戸時代とはかなり様相が変わっている。

【④十一代北郷忠虎の廟所十念寺の前寺である本覚寺】

図中に本覚寺が見える。『庄内地理志』巻六八（十念寺）によると、始覚山本覚寺は、十二代北郷忠能が慶長十四年己酉（一六〇九）、関八州浄土宗本寺鎌倉光明寺から貞誉上人を招いて創建されたが、延宝五年丁巳（一六七七）深心山十念寺と山名と寺号を改めたことが記されている。『庄内地理志』巻七一（鷹尾口〔五拾町村〕）によると、旧城下町の三重町と後町が、鷹尾口・中尾口に移ったのは、延宝五年丁巳（一六七七）の冬とあるので、本覚寺が十念寺と寺名を改めたのとほぼ同時であったと思われる。よって、この古図は、同年の冬、三重町と後町がそれぞれ鷹尾口・中尾口に移り、向江町を造った頃の絵図と言える。

なお、十念寺は北郷忠虎（北郷氏十一代）の廟所とされるが、文禄三年朝鮮国巨済島で病死し、翌年一月都城に到着した忠虎の遺骸が埋葬された後、同地には十念寺はもちろん、その前寺の正覚寺も建てられていなかった。十一代時久は、眼下に都城（鶴丸城）城下を見下ろし、はるか彼方に朝鮮国巨済島を望める、天長寺の上の荒涼たる台地に息子の忠虎を葬ったのであった。息子を失った時久の慈悲と真情がひしひしと伝わる。

その後、慶長十四年（一六〇九）に本覚寺が十二代忠能によって忠虎の菩提寺として建てられ、さらに延宝五年（一六七七）に十念寺と寺名を改めている。現在、忠虎の廟所は龍峯寺跡墓地（島津墓地）に移り、十念寺の跡地には寿念堂というこの地域の納骨堂が建てられているほか、広い十念寺の旧墓地が残されている。

【⑤寿仙寺の前寺である光久寺（中之郷木之前村）】

光久寺は、北郷家に寄居し、同家で死去した宗家五代貞久五男島津四郎左衛門光久（法名寿仙為大禅定門・資忠の甥）の菩提寺である。のち、十九代島津光久（宗家家督寛永十五年〔一六三八〕～貞享四年（一六八七）の諱《いみな》を避けて寿仙寺と改められた。

【⑥高岡街道】鹿児島城下から日向・高岡方面に向かう街道

高岡街道（日向街道）は十五里塚を過ぎたあたりで左折し元服坂を下り、都城旧城下町を通り、鷹尾口に出て、龍泉寺を下り、現在の架橋地点より四、五十間上流に架けられた竹之下橋を現在のログテラスあたりで渡り、堂川（姫城川下流）の北岸を通って甲斐元方面に延びていたと思われる。元禄五年（一六九二）に三重町・後町に合わせる形で、竹之下橋が現在地に架橋されると、高岡街道は新設の竹之下橋を渡り、新町（移設した三重町・後町。現在の西町）を通り、西口で左折して松元往還（松元馬場）を経由して北口（広口）に出て、ここでほぼ直角に真北に向きを変え、高岡街道本道となる。

元禄五年（一六九二）、高岡街道が古い竹之下橋より八〇メートル川下の現在の架橋地点に移された竹之下橋を渡ると、やがて、この新しい高岡街道の道筋に沿って、都城領四町（本町・唐人町・平江町・新町〔三重町・後町〕）が整備されるようになり、近世都城領の交通体系と都市計画（市街地化）の整備が同年に始まったと考えられる。すなわち、都城領の交通体系については、従来、領主館とその界隈（城内）の南域の甲斐元（都城市甲斐元）にあった領内交通の中心が領主館北口・広小路に変わり、町場整備に関しては、都城旧城下に残されていた三重町・後町の両町が西町（現・西町）に移転することで、その結果、すべての都城島津家領町場が新地内に揃うことになったのである。それに加えて重要なことは、元禄五年、現在の架橋地点に移った竹之下橋を渡った高岡街道が新地内に揃った都城島津家領の全町場を一本の道筋で繋いだことであろう。

第五章で問題とすることだが、この三重町・後町の《後発性》ともいえる事態は、都城島津家領町人の苗字（名字）取得についても言えそうだ。三重町・後町町人は、西町に移転した後もなお苗字を持っていなかったことが、西町移転より、十八年ほど後の宝永七年（一七一〇）八月二十五日、都城島津家領に到着した諸国巡見使の接待記録（『庄内地理志』巻五四〔寺柱・上使〕）でわかる。この史料には「料理人三重町分七、同休兵衛、同伊右衛門、後町館関右衛門」とあって、料理人として三重町から出された三人の町人、後町から出された一人の町人に苗字がない。このことから、三重町・後町の町人は、訴訟妥結により、西町（都城市西町）に移転することはできたが、苗字取得には至らなかったことがわかる。三重町と後町の町人は、その後の都城町場の一角として発展するなかで、他の本町・唐人町・平江町とほぼ同時に苗字を取得していったと思われる。

第2章

三重町・後町問題と領主館西口の開拓

――都城島津家領町場の形成――

第一節　三重町・後町からの新地移転の訴えと都城島津家の決断

一、三重町・後町からの訴え

前章の第三節で、三重町・後町両町問題の対応策として、両町の鷹尾口移転をみてきたが、しかし、この向江町移転はこの問題の根本的な解決案とならなかった。

つまり、両町は、それぞれ移転先を新地とは考えず、移転後もなお、新地進出を懇請しており、都城島津家との間で交渉が繰り返された。

『庄内地理志』巻七一（鷹尾口（五拾町村））によると、三重町の鷹尾口移転の翌年の延宝六年戊午（一六七八）七月二十三日、三重町部当賀右衛門、同二宮八左（右）衛門の連名で、都城島津家へ次のような嘆願書（口上覚）が提出されている。

作年の延宝五年丁巳の冬、中尾口の旧城下から鷹尾口に移住したが、中尾口では商いがなく、農民になったとの風聞が広がったことで、嫁に来る者がなく、生活に困窮しており、速やかな新地への移転を懇請したいとの趣旨の嘆願書である。

さらに、天和四年甲子（一六八四・二月改元貞享元年）には、三重町の鷹尾口移転より七年を経過しているが、三月二十八日に、三重町部当賀右衛門、同二宮八左（右）衛門の連名で嘆願書（口上覚）が提出された。それには、鷹尾口移転より七年の歳月を経た三重町民の生活の逼迫と天和新地への移転の懇請を縷々述べたあと、「右世上色々風聞仕由にて、縁与入来女曽て無之、弥衰微仕候、其証拠女房無之者多数罷在由にて、横折書差上候」（三重町は在郷町〔農村における小都市集落〕となり、三重町民は、百姓となったとの風聞（風評）がひろまり、そのことで、三重町には嫁が来なくなった）と主張し、都城島津家領町場としてふさわしい処遇を都城島津家に求めている。

この口上書には十七～四十六歳の女房無き者（未婚男性・やもめ）二十八人の名前が次のように記されている。

弐拾弐才	安左衛門	拾七才	弥七左衛門
拾八才	安右衛門	廿二才	拾右衛門
二十才	角右衛門	十七才	宗次郎
廿二才	徳左衛門	十九才	兵右衛門
廿二才	八左衛門	二十才	九郎兵衛

十八才　蔵之充　　二十才　兵左衛門
四十才　五兵衛　　三十才　彦介
二十九才　菊蔵　　二十八才　大八
四十五才　千拾　　廿二才　千之介
四十才　加兵衛　　二十才　堅助
弐十才　八之充　　四十六才　五郎助
三十才　拾左衛門　　四十三才　六右衛門
三十五才　弥左衛門　　廿六才　平五郎
廿二才　助八　　三十七才　庄左衛門
合弐拾八人

後町でも同年の天和四年三月二十一日、三重町とほぼ同様の嘆願書（口上之覚）が、後町部当伊之助・二之宮八右衛門の連名で提出されている。この嘆願書には、十七～四十八歳の女房無き者（未婚男性・やもめ）二十一人の名前が記載されている。

十八才　新左衛門　　十八才　仁左衛門

三拾七才　源四郎
廿一才　鶴右衛門
廿七才　興右衛門
廿九才　助作
廿壱才　源太
廿六才　六左衛門
四拾四才　利兵衛
廿四才　七兵衛
廿九才　五左衛門
四十八才　松之充

廿五才　喜左衛門
廿四歳　八右衛門
廿壱才　孫右衛門
四拾五才　岡右衛門
四拾才　太兵衛
四拾四才　久蔵
廿四才　久右衛門
四拾才　利助
廿七才　木兵衛
合廿壱人

二、部当二宮八右衛門

『庄内地理志』巻七一（鷹尾口一〔五拾町村〕）には、延宝六年戊午七月廿三日付の三重町の訴状（口上覚）が収められている。この訴状には、三重町部当嘉右衛門（三重町人代表）と都城島津家より任命された部当二宮八右衛門の二人の署名と押印がなされている。三重町町人代表の嘉右衛門の名前に苗字（名字）が無いことから、三重町町人は延宝六年（一六七八）には、まだ苗字（名字）

を取得していないことがわかる。三重町部当の二宮八右衛門は、初代三重町部当二之宮（二宮）孫左衛門（豊後国三重郷出身）の四代目の子孫である。三重町の都城島津家任命の部当は、初代の二之宮（二宮）孫左衛門以来、二宮家の嫡男の世襲となっていた。

延宝五年（一六七七）の三重町の鷹尾口移転より七年を経た天和四年（一六八四）甲子三月二十日と三月二十八日の日付のある二つの三重町の「口上之覚」（訴状）には、部当賀右衛門と部当二宮八左衛門とが、各々署名・押印している。部当二宮八右衛門は八左衛門の誤記と思われる。この天和四年の三重町の口上之覚に付された「三重町の女房無之者（男やもめ）の人数表」には、部当加兵衛と部当二宮八右衛門が署名している。

また、天和四年の後町の口上之覚には、後町部当三左衛門だけの署名・押印があり、この後町の口上覚に付された「後町の女房無之者（男やもめ）の人数表」には、後町部当伊助と後町部当二之宮八右衛門の署名があるが、押印はない。三重町部当の二宮八右衛門は後町部当を兼務していて、西町移転前の三重町・後町において大きな影響力を有していたと思われる。

この三重町・後町の訴訟では、三重町・後町町人側は現状に強く不満を表明し、領主側も都城島津家領内の問題として対応しようとしている。両町の部当を兼務している二宮八右門衛は、三重町と後町の町民の意見をよくまとめ、都城島津家と両町町民との間をよく取り持ち、問題解決に努力したように思われる。その結果として合意形成が、次節に述べる、都城領主館西口と竹之下川（大淀川）との間の荒れ地（現在の都城市西町）の開発と、三重町・後町の西町移転であったと思われる。

三、都城島津家十八代久理の決断

三重町と後町は、都城島津氏の都城（鶴丸城）在城時代の城下町で、由緒を有する両町場を新地の町場に迎えることができないということは、由々しい領内問題であったが、当時の都城島津家には、早急に両町を新地の町場に迎え入れることのできない事情があった。新地では、領主館北辺には、現在の中央通り（高岡街道筋）には、本町、唐人町、少し離れて平江町などの町場が既に出来ていたが、領主館の南辺には河川（姫城川）や姫城城につながる崖線が走っていて、商業地には適しなかった。領主館西口の現在の西町界隈（西口番所より竹之下橋〔岳下橋〕まで）は、当時は、竹之下川（大淀川）汜濫原で、荒涼たる荒れ地であった。

上記のように当時の都城島津家領には、三重町と後町を招来する余地はなく、領主館西口を開発して、ここに三重町と後町を移す以外に問題解決の方策はなかった。しかし、その実現には大工事が必要であり、財政上の大きな負担が生ずることになるので、都城島津家としては躊躇を余儀なくされたに違いない。

『庄内地理志』巻七一（鷹尾口一〔五十町村〕）には、延宝六年（一六七八）と天和四年（一六八四）の三重町・後町の訴訟に関する史料（両町の口上覚）がまとめられている。ただ、『庄内地理志』巻七一の記述には、三重町と後町の訴訟の展開とその結末については記述がない。

ところが、『庄内地理志』巻二七（本邑下長飯十二〔新町・大橋〕）には、前述のように「元禄五年三重町・後町之儀訴訟申上、当時之場所（都城市西町）へ罷移候」とあって、三重町と後町の西町移転は三重町と後町の訴訟の結果とある。

ここで、この訴訟の当事者である領主側からみてみると、三重町と後町の訴訟問題の初発から全面解決にあたった都城領主は、都城島津家十八代島津久理《ひさみち》であった。久理公が宗家から出て都城領主となったのは寛文十年（一六七〇）で、元禄十五年（一七〇二）十九代久龍に譲った後、享保十二年（一七二七）に七十一歳で死去している。久理公の三十二年間の治世のなかで遭遇した深刻な都城島津家領内の政治問題が三重町と後町の訴訟問題であった。この深刻な三重町と後町の訴訟問題を元禄五年（一六九二）三重町と後町の西町移転という形で全面解決した。その十年後の元禄十五年に、長男の十九代久龍に家督を譲り、香雲と号している。

三重町と後町の西町移転を決断したのは、都城島津家十八代島津久理であったが、この計画のおおよそは、長期にわたって行われた三重町と後町の訴訟のなかで、ほぼ合意に達していたことを受けての久理公の決断であったと思われる。

第二節　領主館西口の開拓と三重町・後町の新地移転

一、三重町と後町の新地（領主館西口・現在の都城市西町）移転と大開発工事

三重町と後町の新地移転が認められたのは、元禄五年（一六九二）のことであった。両町は、この年、現在の西町に移転し、両町が合わされて新町をつくった（『庄内地理志』巻二七）。

三重町と後町は、唐人町・平江町と異なり、領主の北郷氏が都城（鶴丸城）に在城していた頃からの城下町であり、都城島津家としても、向江町時代の三重町・後町の新地移転の切実な懇請を無視することはできなかったが、領主館北口から北にのびる高岡街道には、すでに本町・唐人町・平江町などの町場が形成されており、新たに町場を創設する余地はなかった。

実は、唐人町と平江町の間の、現在の前田町域には、町場はなく、田地が広がっていたのだが、ここに三重町・後町を誘致するという考えはなかったようである。というのは、当時の都城島津家では、前田川を防衛上の境界線（一種の接壌地帯、緩衝地帯）と考えていたようで、ここに町場を

作ることを憚り、その遠くに、かって敵対勢力であった伊東氏町場の住民に由来する平江町を置いたように見られる。

元禄五年（一六九二）当時の都城島津家には、早急に解決を要する二つの課題があった。一つは、旧地に取り残され、新地の商業適地への移転を強く求めている三重町・後町の移転先を確保すること、二つ目は、領主館の北域に既に形成されている町場である本町・唐人町・平江町、そして新設される後町・三重町を高岡街道とどのようにして連結するかという課題であった。

そこで、都城島津家が考えついたのが、竹之下川（大淀川）の河原であった領主館西口を開発して、ここに三重町・後町を移転させるという計画であった。従来の都城島津家の対応からは、画期的とも言える発想の大転換であった。都城島津家は、この二つの課題をそれぞれ別個に解決するのではなく、この二つの課題を連結することで、一挙に解決しようとしたのである。

この解決策の最重要ポイントは、竹之下橋の架橋地点を約九〇メートル北方（上流）の現在の架橋地点に移設し、当時、竹之下川（大淀川）の河原で未開発であった領主館西口（現在の西町）を開発することであった。

しかし、この領主館西口の開発計画については『庄内地理志』巻二十七〔新町・大橋〕、『都城島津家歴代史』十八代久理の条などにも全く関係記述がない。都城島津家の公式記録ともいえる『庄内地理志』にも、これほどの大工事が誰の発案により、都城島津家家臣の誰が主宰して行われたのかの記述が全くというほどないのである。

元禄年間に行われた領主館西口開発工事の全貌を明らかにするのに、我々に残された唯一の方途は、竹之下橋と西町辺りの景観・道路状況などを観察・調査し、当時の「五拾町村絵図」（『庄内地理志』巻六五）、「三重町・後町絵図」（『庄内地理志』巻二七）などの絵図、前田厚自家本『都城地名考』に収められた「元和元年移転当時の都城の図」と「幕末都城の図」（この両図のうち、「幕末都城の図」は前田厚『稿本　都城市史』に口絵として掲載されている）などの絵図資料などと対照することによって、当時の領主館西口開発のおおよそを理解することができる。

上記のような手法により、元禄期の領主館西口の大工事を再現してみたい。

二、領主館西口の大工事

開発前の領主館西口（都城市西町）は、竹之下川（大淀川）や今町の南辺を流れて竹之下川に注ぐ姫城川の下流の堂川（ドン川）の氾濫原で、無住の荒れ地であった。ここに町場をつくるとなると、多量の土砂の投入が必要となる。また、当時の町場造りにとって欠かせないのは町並みで、この場合、それに相当するのが高岡街道であり、高岡街道を開発地のどこに通すかがこの大工事の課題であった。

元禄期の大工事以前の高岡街道は、龍泉寺坂を真っすぐに下り、弓場田口（都城〔鶴丸城〕の北口）

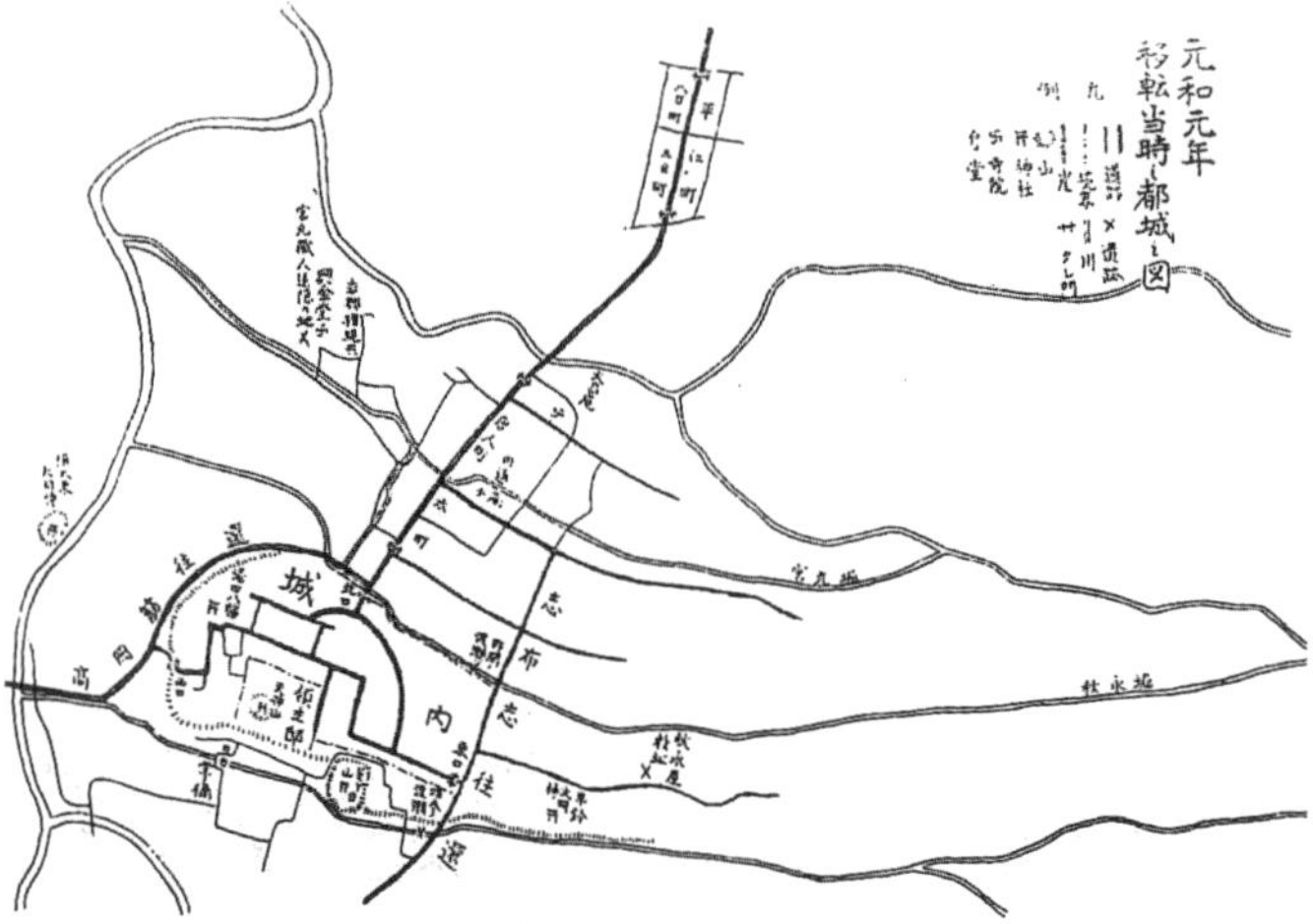

元和元年移転当時之都城之図（前田厚私家版・謄写本『都城地名考』付図１）

の前を通り、現在の竹之下橋より九〇メートル上流にあった古い竹之下橋（弓場田口橋）を渡り、ドン川（姫城川の下流で竹之下川に注ぐ）の北岸を通り、志布志往還に合流した後、領主館東口前を通り、「城内」と称された領主館とその周辺部の南域を通り、さらに北上して高岡（宮崎市高岡町）に至った。

　ここでとりあげてみたいのが「元和元年移転当時之都城之図」である。この絵図は、『庄内地理志』などの都城島津家史料にあるものではなく、前田厚氏が作製され、氏の私家版『都城地名考』に付図1として収録されたものである。

　この絵図で問題としたいのは、この絵図にある高岡街道が「城内」（領主館とその周辺部）の西北部をめぐった後、北上していて、元和元年移転当時の高岡街道（往還）は「城内」の南域を通り、志布志往還と合流し、領主館東口前を通り、さらに北上して高岡（宮崎市高岡町）に至っていたことと考え合わせると、不都合が生じる。

『都城地名考』には付図2として、前掲の「幕末都城之図」がある。この絵図は、薩摩藩内私領都城城下町の完成期の都城をよく描いたもので、多くの論文・報告書に多用されている。この「幕末都城之図」に描かれた高岡街道の道筋は、当然のことながら、元禄期の領主館西口の大工事以降のものである。

ここまで再三述べているように、元禄期の領主館西口の大工事で、高岡街道の道筋は大きく変更されたのだが、「元和元年移転当時之図」に描かれた高岡街道の道筋は「城内」の西北部を廻った後、北上して高岡（宮崎市高岡町）に至っていて、元禄期の領主館西口の開発後の高岡街道の道筋とほぼ変わらず、元和元年（一六一五）の新地移り当時の高岡街道の道筋とは考えられない。

元禄年間の領主館西口の開発工事では、前述のように、開発地の北部、領主館西口番所と現在の竹之下橋（大橋）の架橋地点を結んだ線上にあたる位置に町並みがつくられ、その領主館西口番所近い方に三重町、竹之下橋（大橋）に近い方に後町がつくられた。そこで、この新造なった三重町と後町を高岡街道につなぐために、従来の竹之下橋（弓場田橋）を現在の竹之下橋（大橋）の架橋地点まで約九〇メートル動かし、龍泉寺坂を真っすぐに下っていた高岡街道をまげて、この新造された竹之下橋（大橋）につなぐ大工事がおこなわれた。その結果、高岡街道は新しい竹之下橋（大橋）を渡り、後町・三重町の町並みを通り、領主館西口に至ることとなった。

過去に都城（鶴丸城）城下に残された不満を訴訟にまで持ち込んだ三重町・後町であったが、新地、それも、『庄内地理志』に「本邑・下長飯」と記された領主館（下長飯御館）の隣接地で、しかも両町が面した町並みが高岡街道であるという商業地としてはこれ以上の好条件はなかったと思われる。また、領主館西口の荒れ地（都城市西町）を開発して三重町・後町を招致するとの領主側の確約を果たし、三重町・後町町人が全面的に協力したことで実現したわけで、このことで、都城島津家と三重町と後町の町民との間は、領主と領民という固い絆で結ばれるようになったと思われる。

これを境に、都城島津家との対立関係は解消され、領主である都城島津家と三重町・後町町人の双方に意識面での城下町の条件の一つとも言える領民意識を芽生えさせたと思われる。

三、大開発工事の様子を偲ぶ

三重町・後町の西町（都城市西町）移転を実現した元禄期における領主館西口の大工事により竹之下橋・西町界隈の景観・集落と町並み・道路状況がどのように変容し、また、その痕跡が残っているかをできるだけ、現地に即して考察をしてみたい。

㈠ 竹之下橋の移設

この時の計画を全貌を説明すると、まず、竹之下橋を北方、川下の方向に約九〇メートルほど移設し（現在の架橋地点）、この橋の上に高岡街道を通し、新たに作られた新町（現・西町）の本通りに連結した。

この工事は三重町・後町の西町移転のための大工事のなかで最も重要な工事である。従来、高岡街道は龍泉寺坂を下り、都城（鶴丸城）の弓場田口を通り、古い竹之下橋を渡り、堂川（姫城川下流）の北岸を行き、甲斐元に出て志布志街道に出る。甲斐元が当時の交通の中心であった。甲斐元から北上し領主館東口を通り、蔵原に出て、さらに北上して高岡に向かった。この頃の幕府巡見使一行は蔵原四辻で右折、寺柱街道に入り、寺柱番所（都城島津家領）・飫肥伊東領に赴いていた。

三重町・後町の南側に「堂川（ドン川）」がある。

三重町・後町の移転時行われた大工事では、従来、龍泉寺坂を真っすぐに下り、古い竹之下橋を渡っていたのに対し、龍泉寺坂の上部で大きくカーブして、古い竹之下橋より約九〇メー

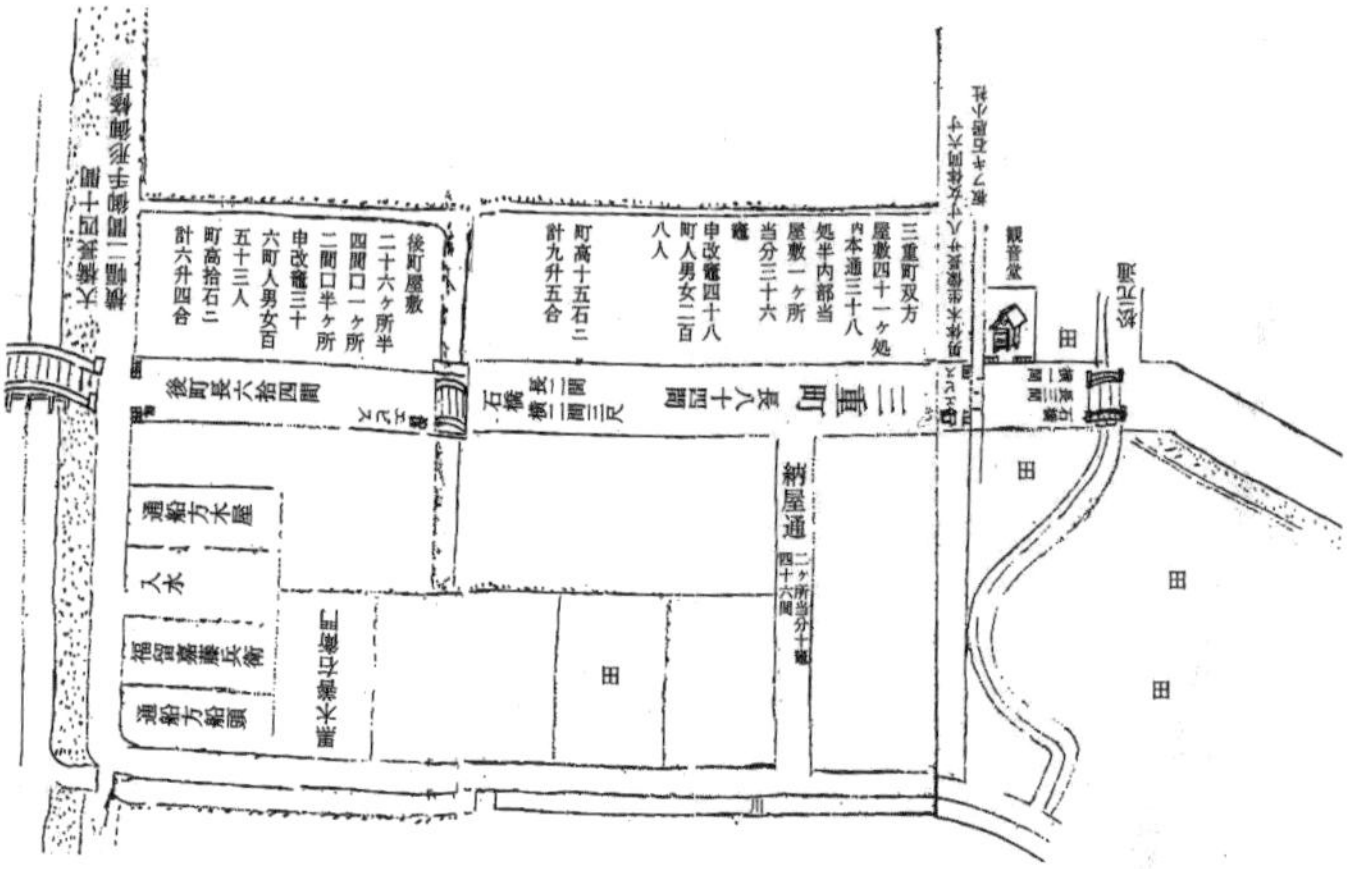

「三重町・後町絵図」（『庄内地理志』巻27・『都城市史』史料編 近世１）
三重町・後町の南側に堂川（どん川・姫城川下流）がある。堂川の竹之下川の合流点に古くは渡し場があり、この渡し場の地点に最初の竹之下橋は架橋されていた。

トル下流の現在の竹之下橋の架橋地点に連結している。この現在の架橋地点は、真っすぐ東に進むと、都城島津家領主館東口番所（跡地は宗正病院正面）に至るように設計されていた。

竹之下橋の現在名は岳下橋である。この橋の下を流れる河川が竹之下川であるが、大淀川にほかならない。東流して赤江津（宮崎市）で海に出るので赤江川とも言われた。また、竹之下橋は都城島津家領では最も大きな橋梁であったので、大橋《うばし》とも言った。『庄内地理志』巻二七〔新町・大橋〕に「大橋　長三拾六間　広二間御手形申節ハ、長四拾間」とある。

堂川（姫城川下流）の竹之下川との合流点（堂川の河口）は、江戸期における竹之下川の河川交通を考えるうえで、極めて重要な箇所と思われる。竹之下橋は初め舟渡しであったが、舟渡

岳之下橋（岳下橋・大橋・二往還橋）

し場は姫城川下流の堂川（どん川）河口（合流地点）付近であった。また、最初の竹之下橋（弓場田口橋）は、この舟渡し場に架橋されたもので、現在の竹之下橋の架橋地点より約九〇メートル（史料には四、五拾間とある）ほど川上にあった。

㈡ 護岸工事・開墾と新町建設

「三重町・後町絵図」（『庄内地理志』巻一七）では、新町の中央にある石橋を境に西側が後町で、東側の領主館西口番所（宗正病院正面付近）に近い部分が三重町であった。三重町の長さは八十四間、後町の長さは六十四間で、三重町の長さが後町の長さより二十間（三六メートル）長い。三重町住民の数が、後町よりかなり多かったことを裏付けている。

蛇行していたと思われる堂川（ドン川・姫城川下流）は両町の南にひろがる田地の南側に真っすぐの形で流れている。その河口付近は、古い竹之下橋の架橋地点と思われるが、通船方船頭の屋敷跡が画かれている。また、後町のすぐそばには、竹之下橋がこの橋の現在の架橋地点に架けられ、「大橋長さ四十間、横幅二間」と付記されている。

竹之下橋・龍泉寺坂周辺の現状に大工事を偲ぶ

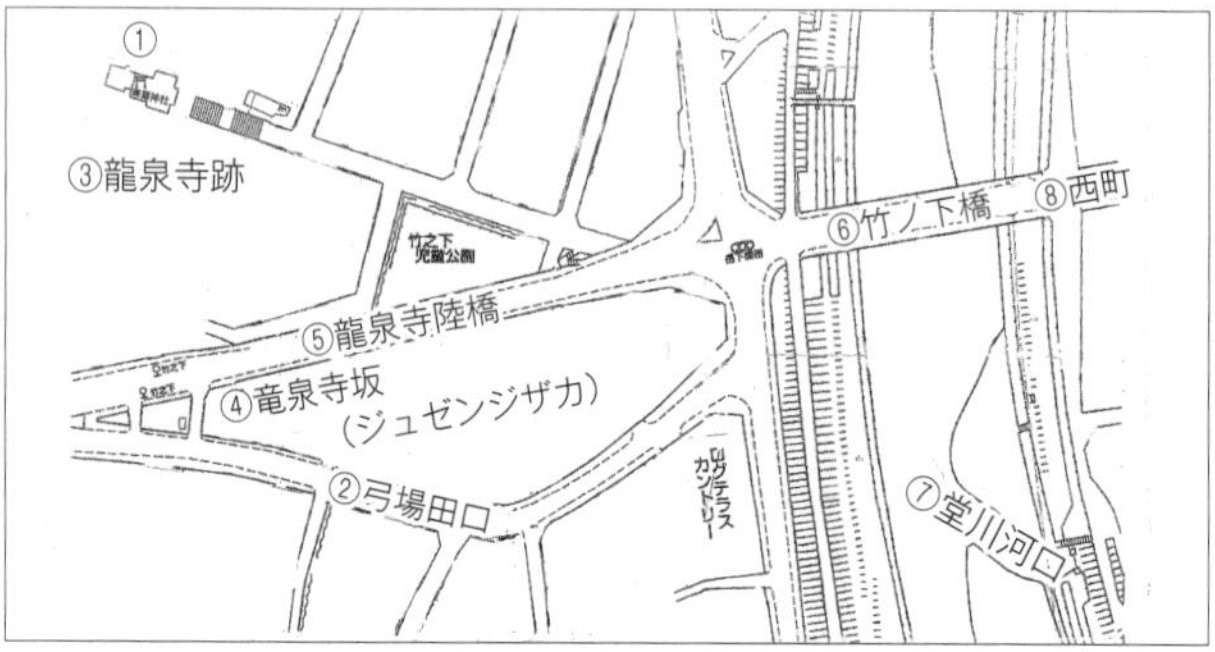

竹ノ下橋・龍泉寺坂周辺図

竹之下橋の西袂から撮影した龍泉寺坂（龍泉寺陸橋部分）

兼喜神社。鳥居の扁額には「兼喜大明神」（島津忠厚謹書）とある。

①兼喜神社（都城市都島町）：祭神は北郷家十代時久の長男相久である。相久は家臣の讒言により父、北郷時久に疑われ、天正七年（一五七九）安永金石城で自害した。相久の霊を祀るために、同九年、時久により、若宮八幡宮として創建された。慶長十三年（一六〇八）、神祇官吉田兼治により若宮の二字が削られ、霊の壱字が加えられ、霊八幡と改称した。明暦元年（一六五五）秋、神祇官吉田兼喜に請うて兼喜明神と改号、天和二年（一六八二）には、吉田兼連により兼喜大明神の扁額が掲げられ、享保十九年（一七三四）には、神位正一位を授けられた。現在、この神社の鳥居には、「兼喜大明神　正一位」と書かれた扁額が掲げられている。この神社は竹之下橋西岸の丘陵地にあるが、龍泉寺坂に昭和五十八年八月、龍泉寺坂陸橋が竣工すると、この陸橋の下に隠れ、走行中の車上からは見えにくくなっている。

②弓場田口：都城（鶴丸城）の北口。元禄五

兼喜神社前の竹之下児童公園から見上げた龍泉寺陸橋（昭和58年８月竣工）

弓場田口（都城北口）付近（都城址・都城歴史資料館などに通ずる）

年（一六九二）以前においては、高岡街道は、この弓場田口の門前を通り、龍泉寺坂を真っすぐに下り、現在の竹ノ下橋より、九〇メートル上流にあった旧竹ノ下橋（弓場田口）を渡り、姫城川の下流である堂川の北岸を進み、当時、都城の交通の中心であった甲斐元に至り、志布志往還（街道）と合わさり、その後、領主館の東口を通り、さらに北上し蔵原を通り、高岡（宮崎市高岡町）に至った。

③龍泉寺跡：都城市都島町にあった臨済宗京都妙心寺直床の禅寺。

④龍泉《じゅせん》寺坂《じざか》：龍泉寺の南側にある、長く急な坂道を高岡街道が通っていた。

⑤龍泉寺陸橋：長く急坂の龍泉寺坂に昭和五十八年八月に竣工し、同坂が現状のように整備された状態になった。

⑥竹之下橋（大橋）：三重町と後町の領主館西口移転時に、姫城川下流の堂川河口付近にあった旧竹之下橋（弓場田橋）より約九〇メートル川下（北へ）に移設し、龍泉坂を真っすぐに下っていった高岡街道を曲げて、この新しい竹之下橋に連結したので、高岡街道がこの新しい竹之下橋を渡るようになった。このことが、都城島津領町場の野町城下町としての都市計画完成の端緒となったことは、本編で明らかにしたことである。

⑦堂川河口：通称どん川といわれる堂川は、姫城川下流である。

⑧西町：元禄五年（一六九二）以前の都城市西町界隈は、領主館西口番所より竹之下川（大淀川）までの荒涼たる荒れ地であったが、三重町・後町町民と都城島津家との訴訟妥結により、同地の開発が行われた結果、それまで、都城（鶴丸城）城下旧城下に留まっていた後町・三重町の同地への移転が同年に実現した。

三重町と後町が移された西町（領主館西口と竹之下橋の間）は、竹之下川（大淀川）の氾濫原で、荒れるに任せた荒れ地であったので、大量の土の搬入と堤防の建設と護岸工事が必要であった。

この西町界隈の開発には、このように大量の土の運搬などの莫大な労働を要したと思われるが、それを負担したのは、三重町・後町の町人であったと思われる。両町の町人たちはわが町を作るため懸命に働いたのであろう。

(三) 二往還橋

新しい竹之下橋に高岡街道を通し、また、今町（大岩田口今町馬場・都城市今町）から来た道が、都城（鶴丸城）の大岩田口で城内に入り、この城の本丸（都城歴史資料館がある）を左手に竹之下川（大淀川）沿いに北上して、竹之下橋の西の袂で高岡街道と合流して竹之下橋を渡るようになったので、この橋を「二往還橋」ということがある。当時、道路のことを「往還」と言った。竹之下橋を二つの往還が渡るので「二往還橋」と言ったのである。

四、高岡街道の整備と都城領四町の成立

竹之下橋を渡り直進すると領主館西口に直通する。このことは、他国人が数多く往来する高岡街道が、「ミニ薩摩藩」として城下町の構造を有する都城領としては問題であるので、領主館西

口で左折して、松元馬場（別名　高岡往還）に入り、領主館城（城内）の外周を廻って、領主館北口に出て、ここで直角に真北に進み、高岡街道の本道と連結した。松元馬場には、武家屋敷を配置して、この道を往来する他国人に対する警備を強めた。

このように、まず、都城領の幹線道路である高岡街道を整備し、その次に、この高岡街道に沿って、本町・唐人町・平江町・新町（三重町・後町）などの都城領四町が整然と立ち並ぶことにより、近世都城の町場形成の骨格ができあがった。

従来、高岡街道には、現在の竹之下橋より、約九〇メートル上流の堂川（ドン川・姫城川下流）と竹之下川（大淀川）との合流地点に架橋されていた。この古い竹之下橋を渡り、堂川（姫城川下流）北岸を行き、甲斐元（都城市甲斐元町）に出て、ここで志布志街道とつながる。当時の都城の交通の中心は甲斐元であった。

元禄五年に完成した近世江戸期の都市計画では、都城領の交通の中心は領主館北口（広口）になるので、都城の交通の中心が甲斐元から、領主館北口（広口）へと北方に移動したことになる。

高岡街道の変遷史の中で、最も重要なポイントとなったものは、竹之下橋の架橋地点変更であった。都城城下時代の竹之下橋の地点は、新地移り後の新しい領主館を中心とした都市計画にはそぐわないものとなっていた。領主館を中心とした新市街に高岡街道を通すには、竹之下橋の架橋地点を北方（大淀川の下流）に移設する必要があったが、それが実現する契機となったのが、元禄五年の三重町・後町の現在の西町への移転計画であった。

なお、前田厚『都城交通史』（昭和八年刊）によると、明治十七年（一八八四）に木造から石造に改造され、親柱に「嶽下橋」と彫りつけられて以来、「竹之下橋」は「嶽（岳）下橋」と言われるようになった。

第三節　都城島津家領町場四町　成立とその意義

——「薩摩藩領内町場城下町」への道程として——

一、「野町」から「町場」へ

鹿児島藩では、「城下町」とは鹿児島城（鶴丸城）城下町のみで、薩摩藩領内にある町場はすべて「野町」と称した。

元禄五年（一六九二）の三重町・後町の西町移転は、都城島津家領町場が、「野町」から「野町城下町」に成長する過程において、画期的意味を持ったと思われる。

（1）旧都城城下町に残されていた三重町と後町が都城島津家領領主館を中心とする新しい町場に加わったことで、都城島津家領四町（本町・唐人町・平江町・新町〔三重町・後町〕）が出揃い、都城町場のかたち（外形）が整った。

（2）高岡街道の路線変更が都城島津家町場の構造と機能を高めた。

三重町・後町の西町移転時に約九〇メートル北、川下に移設された新しい竹之下橋（現在の竹之下橋の架橋地点）を渡ったあと、新造なる新町（後町・三重町）を通り、領主館区域（城内）の北西辺を廻り、領主館北口で九〇度ターンして真北に向かい、本町・唐人町・平江町と通り、高岡に向かうこととなった。交通の中心が郊外の甲斐元（都城市甲斐元町）より、領主館北口（現在の広口交差点付近）に移ったことで、中心性のある、まとまりのよい町造りが行われることとなった。

ここで、考慮しなくてはならないのは、本町・唐人町・平江町・新町（三重町・後町）の四町は、それぞれ異なった歴史と由緒を有するが、三重町と後町の都城島津家領復帰を機に融和・和合の気運が生じたと考えられることである。

（3）特に、各町場間の嫁のやりとりが、四町間の溝を埋めていったと思われる。旧都城城下町に残された三重町・後町の訴状では、三重町・後町の両町がすでに新地にある本町・唐人町・平江町などから在郷町とみられ、これらの町から嫁が来ず、困惑している様子が見えるが、三重町・後町が西町に移ると、このような訴えは聞かない。早期の新地進出を決めた本町・唐人町・平江町などと、遅れて新地に進出した三重町・後町との間にも疎遠な関係が薄れ、親密な関係が醸成されてきたようである。

内之浦に渡来した明人に由来するという、独特の由緒を有する唐人町では、日系町人の加入と唐人との婚姻の増加で、唐人の居留地という性格は薄れ、豊かな経済力で、本町とともに都城島津家領町場を支える二大町場であった。

平江町も独特の由緒を有する町場である。この町場は、都於郡（西都市）を本拠とし、三俣院（三股町と都城市の一部）一千町を支配していた伊東氏の町場であった平江町（高木村平江原）が都城島津氏が領主館を現在の市役所付近に造った頃、都城領の宮丸村に移され、本町・唐人町などの中心街から少し離れた北方に置かれた。都城からは、当初は、他国人と警戒された向きもあったわけだが、時を経るにつれ、それも消滅したようだ。

新町が本藩より見ると、都城島津家町場の入口とすれば、平江町は出口に位置する交通都市的な役割があったようだ。勝岡蓼池村南屋敷頭日誌（重久家旧蔵文書。『宮崎県史』史料編近世5）によると、天保九年（一八三八）の幕府巡見使一行百四人の助郷役をつとめた郷民七十二人（人夫三十六人・助夫三十六人）が六人の宰領に率いられて、同年七月十一日志布志まで迎えに行き、同十七日都城まで送り、同十八日都城より牛之峠を越えて飫肥伊東藩領内の一之瀬まで送り、同夜四ッ時に都城平江町夫宿へ帰り、ここで一泊して翌十九日に勝岡に帰宅している。平江町には、他郷と往来する商人たちの宿もあったのではないかと考える。

こう考えると、都城島津家領町場は、それぞれ異なる歴史と由緒を有する町場の集合体である。歴史と由緒を異にする四つ（三重町と後町を別に数えると五つ）を束ね得た都城島津家の存在はすこぶる大きく、都城町場の発展、引いては、都城近世史において、あらためて都城島津家の存在を無視することはできないように思われる。

(4) こうして、元禄五年の領主館西口の開発は、都城(鶴丸城)城下に残され、新地移転を懇請していた三重町・後町の新地移転を実現しただけではなく、同時に都城島津家領の町場造りを完成したと言える。

別な言い方をすると、新しい都城島津家領の町場を考え直す中で、領主館西口の荒れ地(現在の西町)を、ここに高岡街道を通すという形で開発し、三重町・後町を移すという遠大な計画の中で、三重町・後町の新地移転の問題を解決したと言える。こればかりでなく、都城島津家領町場の発展、「町場城下町」完成への大きなステップとなったのである。

ただ、この大工事の提唱者、工事担当者、工事の進捗状況などについての詳細な史料・文献が見当たらないのは残念である。

(5) このように、三重町と後町の西町移転は、都城島津家町場発展に画期的な影響を与えたが、しかし、「町場城下町」の完成を意味しない。街道(町並み)の整備・町割・屋敷割・店割なども充分ではなく、まだ、かなり雑然としたものであったと思われる。「野町城下町」として完成を見るのは、「幕末都城之図」に見られる整然とした町場の形成を待たねばならなかったのである。

二、賀右衛門と二宮八右衛門
――館主館西口の開発工事を推進した二人――

この領主館西口の開発計画の達成には、莫大な経費と長期にわたる歳月が必要であったので、都城島津家も容易には決断が下せない状況であったと思われる。領主の重い腰を上げさせたものは、三重町と後町の町民のこの開発計画に寄せた熱意と、両町民あげての協力姿勢であったと思われる。

領主館西口の功労者として顕彰されるべき人物が二人判明している。それは、天明四年（一七八四）の三重町訴状に部当としてある賀右衛門と二宮八左衛門である。賀右衛門（町人身分）は、三重町民代表でまとめ役であり、二宮八左衛門（衆中身分）は町奉行配下の部当として三重町を支配していた。賀右衛門が三重町町人をよくまとめ、二宮八右衛門が都城島津家と三重町町人との間を取り持ったことがこの訴訟の円満解決につながったと考えられる。当時の三重町の人口は後町のおよそ三倍もあり、その事が両町の町勢にも反映したのか、いつも三重町が主導し、後町が追従する動きがみられた。

この訴訟における妥協点となったのが領主館西口開発であり、このことで、今まで新地には三重町と後町を招致する余地は無いとする従来の頑なとも言える対応を一変させ、領主館西口の広大な無住地を開発して、ここに三重町と後町を招致するという都城島津家の発想の転換をもたらし、それを三重町・後町町人が全面的に協力するという図式が出来上がったとみられる。この計画達成には、予想される長期の工期とそこに投入される莫大な労働を三重町と後町町人が全面的に負担するとの一種の契約的な関係が成立したと考える。

八右衛門が出生した二宮（二之宮）家は、代々、三重町部当を世襲した家柄とされるが、『庄内地理志』巻二七〔新町・大橋〕の「三重町部当」の二宮八右衛門の条に「二之宮八右衛門（覚右衛門嫡子・初宮千代）、十六歳之時三重町部当被仰付、其後元禄十年忠智公（十八代島津久理）公御代、大番士立身被仰付候、此已後部当役町人相勤候、今当所中、二之宮家すべて子孫にて候」とあるように、都城島津家と三重町町民との間を仲介し、訴訟を解決に導いた二宮八右衛門は、三重町部当であった二之宮覚右衛門の嫡子で初名を宮千代と言ったが、宮千代が十一歳の時、父覚右衛門が死に、満木有右衛門は宮千代が元服を迎えるまで、三重町仮部当を務めている。宮千代は十六歳の時三重町部当を仰せ付けられ、この時、八右衛門を名乗っている。元禄十年（一六九七）、都城島津家十八代島津久理の時、大番立身に昇格している。

前田厚『稿本 都城市史』上巻の第八章諸制度の整備の「家柄による階級」に嘉永七年四月松葉佐篤信の写本により、都城島津家に仕える諸士を、上位から「御支流」・「御庶流」・「御座列」・直触・騎馬格・御貸馬・小番・大番・大番御抱人・大番立身の十個の階級があり、この下に準ずる者として足軽および衆中の二階級があると書いてある。

二宮八右衛門は都城島津家に仕える下級の家臣であったが、三重町と後町の訴訟の解決に貢献した功績により、大番立身に栄進したのであろう。

なお、上記の史料に「此已後部当役町人相勤候」とあるように、三重町では、元禄十年（一六九七）部当二宮八右衛門が大番立身に栄進した以後、都城島津家家臣の三重町部当役就任はなくなり、町人身分部当だけが置かれ、町奉行が直接支配するようになったと思われる。

町奉行については、『都城市史』通史編（中世・近世）の第二編（近世・第2章都城領政の確立）にある「都城における町の支配」では、当初一人であったが、明暦二年（一六五六）五月の記録には「町奉行両人」とあり、二人いたことが確認できるとし、これに就任したのは大身の都城島津家家臣であったと記述されている。

この史料には、後町については触れることはないが、前述したように、当時の三重町人口は後町の人口の三倍ほどもあり、三重町の町勢が後町の町勢を上回っていて、何につけて三重町が主導し、後町が追従する構図がみられたことによると思われる。また、「天和四年（一六八四）後町の口上書（訴状）」（『庄内地理志』巻七二）によると、三重町部当二宮八右衛門は後町部当をも兼任している。

元禄年間における三重町と後町の訴訟解決のもう一人の功労者である三重町部当賀右衛門（天

和四年甲子三重町口上之覚）は、延宝六年戊午の三重町の口上覚では嘉右衛門となっている。当時の都城島津家領の町場では、町人には苗字（名字）が無いことから、賀右衛門（嘉右衛門）のその後のことや子孫のことは史料に伝わらない。当時の都城島津家領町人の地位の低さが認識できるというものだが、三重町別当賀右兵衛（嘉右衛門・町人身分）は、三重町別当二宮八右衛門（都城島津家家臣）とともに、三重町・後町の訴訟解決の功労者として顕彰されなくてはならない。

なお、二宮八右衛門については、延宝六年戊午の口上覚では、三重町部当二宮八右衛門とあるが、天和四年甲子三重町口上之覚では、三重町部当二宮八左衛門となっている。本稿では、『庄内地理志』巻二七（新町・大橋）の三重町部当の条に「二之宮八右衛門（二之宮覚右衛門嫡子）」とあるので、二宮八右衛門をとった。

第3章　都城島津家領町場の成長と町人の苗字取得

――天明元年安永諏訪神社祭礼での領主参詣行列を読み解く――

第一節　都城島津家二十二代久倫と天明元年安永諏訪神社祭礼領主参詣行列

一、天明元年安永諏訪神社祭礼での領主参詣行列

天明元年（一七八一）七月二十八日の安永諏訪神社祭礼での領主（都城島津家二十二代久倫公）参詣行列は、都城近世史研究、とりわけ、都城島津家の領家意識（「島津復姓」に見られる断絶と継続の構図）と、都城島津家領町場町人の地位向上と苗字（名字）取得について多くの示唆を与えてくれる。

諏訪神社は都城市庄内町の安永城跡の東方丘陵上にある。文和元年（一三五二）、北郷氏初代資忠が、島津宗家が累代崇拝する鹿児島諏訪神社の諏訪大明神を勧請したのが最初と伝えられている。江戸期の安永郷には、北前川内村と南前川内村（中霧島）とがあり、諏訪神社は北川内村（都城市庄内町）にあった。

諏訪神社の祭礼は、七月十六日に領主から祭礼実施を仰せわたされ（祭礼の具体的な準備にとりか

諏訪神社

かるのは七月十三日とされる）、七月二十八日に行われ、毎年ではなかったが、祭礼日に都城領主の直接参詣が行われていた。「安永諏訪御神に付万覚書」（『宮崎県史』史料編中世2）によれば、天文四年（一五三五）、同二十四年（一五五五）に行われ、江戸期に入ると、寛永三年（一六二六・十二代北郷忠能）、同十三年（一六三六・十五代北郷久直）、貞享三年（一六八六・十八代島津久理）、天明元年（一七八一・二十二代久倫）の四回の領主参詣が、『庄内地理志』七六（北前川内・諏訪大明神）により確認される。

本書の主人公の一人と言える都城島津家二十二代久倫が天明元年、都城領主として参詣を行っている。若くして死んだ兄の久般公を、わずか四歳で継いだ久倫公は二十二歳の若武者となっていた。本稿で大きくとりあげた元禄五年（一六九二）の三重町・後町の西町移転より、八十年ほどの歳月を経ていた。この三重町・後町の西町移転により、都城島津家五町（本町・唐人町・平江町・三重町・後町）がすべて新地内にまとまったことで、都城城下町としての外枠が整ってきていた。

さらに、元禄五年に高岡街道が現在の竹ノ下橋を渡り、領主館の西北を廻り、領内のすべての町場を結んだことで城下町としての市街地化が進み、町民の苗字（名字）の取得もこの頃と思われ、都城島津家領町場は、野町城下町として完成と繁栄を迎えつつあったように思われる。

天明元年久倫参詣行列には、本町十人・三重町十人・後町十人の合計三十人の町人が、陣夫役としてではあるが、苗字帯刀（帯刀は祭礼用）で、本町は鑓、三重町は弓台（空穂）、後町は鉄砲をそれぞれ持して威風堂々と参列している。野町城下町として完成期を迎えようとしていた都城島津家領町人の活気と、吾等は都城島津家領民だとする意識（領民意識）とが感じられる。都城島津家の領家意識は都城近世史の地域性を考える上で極めて重要であり、都城島津家領町場町人の苗字（名字）取得は、都城島津家町場の発展と同町人の成長を物語るものとして重要である。

本章では、第二章でみてきた都城島津領の町場四町のその後の展開を、二十二代領主久倫の参詣行列という一大ページェントを題材にみていきたい。次に記す三つの観点から、考察をしていきたい。

〔観点1〕二十二代島津久倫の治世の特徴――「島津復姓」と都城島津家の領家意識。

〔観点2〕天明元年の安永諏訪御社領主（久倫公）参詣行列には、本町・三重町・後町の三町が参列し、唐人町・平江町の二町は参列しなかったのはなぜか。

〔観点3〕この行列に参列した本町・三重町・後町町人が苗字（名字）帯刀であることについて。

二、都城島津家二十二代島津久倫とその時代

本文に入るにあたって、まず本章の主人公島津久倫は、都城島津家二十代島津久茂《ひさもち》の二男として、宝暦九年（一七五九）出生。同十二年、兄、久般《ひさとし》（都城島津家二十一代）は嗣子がないまま早世し、久倫（四歳）がその後を嗣いだ。幼くして都城島津家の家督を継いだ久倫を補佐したのが、南館（都城島津家南屋敷）で隠棲していた父、久茂であった。

久倫の領政は、文政二年（一八一九）に隠居し、嫡男の久統《ひさのり》（二十三代）が家督を継ぐまで、五十七年間の長きに及んだ（没年は文政四年〈一八二一〉）。

『都城島津家歴代史』の伊勢久倫の条に、「明和六年（一七六九）十一月十五日久倫は鹿児島城（鶴丸城）に元服す。宗家重豪《しげひで》加冠す」とある。

島津重豪は二十五代薩摩藩主。芳即正著『島津重豪』巻末「略年譜」によると、重豪は延享二年（一七四五）加治木領主島津重年の長男として鹿児島城下加治木島津邸に生まれた。重豪が五歳の寛延二年（一七四九）、二十三代藩主島津宗信が死去し、嗣子がなかったので、弟の重年が加治木を出て宗家を継いだ（二十四代）。宝暦五年（一七五五）、重年が若くして亡くなったので、重豪が宗家二十五代藩主を継ぐことになった。

蘭癖《らんぺき》大名の異名を有する蘭学の大の保護者であった重豪は、中世的体質を強く残した薩摩藩の後進性克服を生涯の課題とし、積極的に開化（開明）政策を展開したのであった。天明七年（一七八七）、長子の二十六代斉宣《なりのぶ》に家督を譲り隠居し、天保四年（一八三三）没した。

久倫は十一歳、加冠者の重豪は二十五歳であった。年少の久倫にとって、若き重豪はまさに理想の人物であったと思われ、久倫は、その長い五十七年間に及ぶ都城領政において、重豪を見習い、数々の開明（開化）的な政策を展開した。

久倫の五十七年間という長い治世における事績を『都城島津家歴代史』の二十二代久倫の条、『都城市史』通史編、『都城市史』史料編近世（1〜5）などにより、まとめておきたい。まず、本節での関連を中心にまとめ、産業面は次節以降で詳述していく。

①久倫と重豪との親しい関係

安永二年（一七七三）三月二十五日宗家重豪は学校を鹿児島に創建。久倫は講堂経営助役の命を受けた。同四年十一月十三日、宗家重豪は犬追物を鹿児島に講じ、久倫は騎射者に列している。十二月十八日重豪は、久倫の犬追物修練の功を賞して、綾紗三巻を賜った。

②久倫と久般夫人（自肯院）の関係

自肯院（都城島津家二十一代久般室）は北郷久綿（十九代久龍の末男で鹿児島で別家を建てて、鹿児島在住。薩摩藩上級家臣北郷家百五十八石余の祖（『薩陽武鑑』））の娘。自肯院の父北郷久綿の墓石は、現在、都城島津氏の菩提寺である龍峯寺跡墓地（通称「島津墓地」の第3区左列2番）にある。都城島津家とは別家をたてた北郷久綿の墓石は、当初は興国寺（鹿児島市長田町）に建てられたが、現在は島津墓地にある。昭和四十五年四月九日、都城島津家二十八代島津久厚氏は、十五代久直公・十六代久定公・十八代久理公実母玉利氏、十五代久直公に殉死した上村藤兵衛長貞の墓石、法師塚一基とともに十九代久龍公第三子久綿の墓石、合わせて六基の石塔を興国寺から、島津墓地の第3区左列に移している。

自肯院は、都城島津家十九代久龍夫人であったが、夫の久龍は若くして江戸で客死したが、自肯院は天寿を全うし、五十七年間という長き治世を有した二十代久倫が死去する文政四年（一八二一）の前年に死去している。

自肯院の夫の死後に都城島津家にあった期間と久倫の人生とは、その大部分において重なる。自肯院は都城島津家に隠然たる勢力を持っていたと思われるが、久倫と自肯院とは協調した関係を有したと思われる。

③十代北郷時久と八代北郷忠相夫人の墳墓を龍峯寺に改葬

寛政元年（一七八九）七月、長いこと薩州祁答院曇秀寺にあった十代時久の墳墓を都城龍峰（峯）寺に改葬した。九月には八代忠相夫人の墓を高城高称寺より龍峰寺に改葬している。それぞれ他地にあった二人の墳墓を改葬したことは、前領主である北郷氏を継承する強い意志があらわれたものとして注目される。

④学問の奨励と稽古館の創建

安永七年（一七七八）正月、久倫は令を発して、士臣に学問を奨励し、学才ある者に学資米を与えて奨励している。同年五月十二日学校を都城に創建し、稽古館（明道館の前身）と称した。また京都・江戸に多くの留学生を派遣している。

⑤『庄内地理志』の編纂

『都城市史』史料編近世1〜5に収められている『庄内地理志』は百十二巻と拾遺一巻の全百十三巻からなり、都城の百科全書といわれるものである。この『庄内地理志』の編纂は、久倫の代に開始され、次の代の久統《ひさのり》が領主の時に完成をみた。

⑥天明元年の安永諏訪神社祭礼での領主参詣行列は、以上の久理の政治姿勢・治政のなかの一つとして、挙行されたのである。

三、久倫の経済政策

㈠大淀川（観音瀬）の開削と通船工事

寛政元年（一七八九）、久倫が三十歳（都城領主となって二十七年）の時、大淀川（特に観音瀬）を開削し、通船事業の開始を決定した。この事業によって、都城の竹之下橋から赤江の湊《みなと》（赤江港・大淀川下流右岸に位置し、東は日向灘に面する）までを船によって直通することにより、私領の都城島津家領の都城だけではなく、末吉・財部・高城・高崎・高原・野尻・小林、そのほかの近郷の産物（米・胡麻《ごま》・楮《こうぞ》と紙・麻苧《あさお》・菜種子《なたね》・庭鳥《にわとり》玉子など）を赤江湊から船で大坂へ運び、これらの地域の経済の高揚をはかろうとしたのである。

久倫は京都に藤崎五百治を遊学させ、諸国急流の調査を命じている。藤崎は帰国後、観音瀬を実地調査し、さらに肥後国球磨川の水運の調査も行っている。このようにして、準備を整えた久倫は、寛政二年（一七九〇）三月に鹿児島藩へ通船事業の許可を願い出、翌三年二月、藩から通船一件の許可の申し渡しがあった。

こうして、大淀川通船工事は、約二年の歳月と銭二万三五〇〇貫文余の経費を費やして完成したのであるが、当初期待した経済効果は得られず、巨額の借金を残す結果となり悲劇的な結末となった。その失敗の原因をどこに求めるかは難しい問題であるが、最主要産物の米に関しては、大坂堂島の米市場において有利な状況をつくり出すことができなかったこと、商品作物については、実際に大坂に出荷されたのは胡麻だけで、商品作物の生産が全くふるわなかったことが原因とされる。

『都城市史』通史編近世の「大淀川通船事業」では、川名登著「日向・大淀川の水運について」（『千葉経済短期大学『商経論集』20　一九八七年）により、当時の都城の商品生産がふるわなかったのは、都城領内およびその周辺地域の商品生産の展開度の未熟さに起因し、それは、「胡麻の管理」にみられるように領主側の強い統制が、農民や商人による自由な商品生産・流通の発展を阻害していたからであったと結論している。都城の胡麻は、領内の商人による自由な出荷ではなく、作付の段階から領主側にチェックされ、買い上げの値段も郡座が決めるなど、領主側が主導権を握っていた。

(二) 交易方の開設（後述＝本章第三節第三項）

(三) 南之薗の開発 ―― 大淀川通船工事失敗以後の都城島津家の経済状況 ――

大淀川通船事業の挫折は都城島津家領における米作中心の農業経営の継続を意味したが、主要産物である米は福山町南之薗（鹿児島県霧島市福山町南園）経由で、錦江湾コースで鹿児島市場に持ち出されるようになった。

都城島津家領であった南薗は戸数五十竈（『庄内地理志』一〇九南之薗人家竈《かまど》画図）の海浜の小集落に過ぎないが、なだらかな内湾である錦江湾を挟んで、鹿児島湊とその湾頭に領主家族が常住する鹿児島都城島津家屋敷（滑川館）は、目と鼻の位置にあった。鹿児島湾の海辺にあった滑川館は、南之薗から船での積載物の搬入には極めて便利であった。都城島津家では、南之薗に五千石の米倉を二つ造り、南之薗の海浜には常時、四隻の帆船が繋がれていた。

江戸後期の都城島津家家老安山松巌著『年代実録』によると、松巌を乗せて文政十二年（一八二九）三月九日（新暦四月六日）七つ時（午後四時）に南之薗を出港した帆船は、同日の五つ時（午後八時）に鹿児島湊に到着している。所要時間はわずか四時間である。白銀坂という難所を有する日向街道（陸路）を馬の背に米俵を乗せて鹿児島に運搬するのと比較すると雲泥の差があった。

南之薗の開発は、有数の情報基地となり、情報豊かな鹿児島城下との間に、米を中心とする物・人・文化の交流が活発に行われるようになった。江戸後期、特にその末期において、都城が日向のどの地域より開けていた理由がここにある。

現在、鹿児島県霧島市南之薗の現地を自動車で通ると、湾岸に「南園」と墨書された標柱を眼にし、静かな錦江湾の波音を耳にするだけで、往時の活況をしのべるものはなに一つない。ただ、『庄内地理志』が南之薗に一巻（巻一〇九〔福山南之薗・御仮屋・御船手〕）をあてていることが、当時、都城にとって、この南之薗が如何に重要であったかを物語っている。

第二節　領主参詣行列への町人参加に差があるのはなぜか
――都城島津家の特異性と領家意識――

一、安永諏訪神社祭礼領主参詣行列と都城島津家の領家意識

久倫が天明元年（一七八一）七月二十八日（新暦九月十六日・初秋）、安永諏訪神社に領主として参詣したのは二十三歳の時で、早世した二十一代の兄・久般のあとを継いで都城島津家領領主となってから二十年目のことであった。

天明元年の諏訪神社祭礼参詣行列は、十二代忠能が元和元年（一六一五）一国一城令により、都城（鶴丸城）を下城し新地に営んだ領主館ではなく、既に廃城となって久しい都城（鶴丸城）を出発し、諏訪安永神社社頭（都城市庄内町）まで続いていた。

なぜ、都城（鶴丸城）を出発地としているのか。ここには都城島津家の特異性――「島津復姓」と領家意識があると考えられる。

都城地域における都城島津家の特異性についてだが、都城島津家の六百年にわたる連続性という言葉が屡々《しばしば》使われるが、北郷家の血脈は完全に断絶している。

都城島津家は、もともとは中世から近世にかけて、都城（鶴丸城）に拠って都城地域を治めた北郷家である。北郷家は鹿児島島津家の支族である。十二代忠能のときの元和元年、一国一城令により城を廃し、平地に領主館を築き移り住んだ。

しかし、北郷家の血脈は十四代忠亮《ただすけ》（十二代忠能二男）で絶え、その後、十五代久直（宗家家久三男・室十二代忠能女春嶺）、十六代久定（宗家光久二男・室十五代久直女千代松）と島津宗家（本家）から養子が北郷家に入った後、十七代忠長（宗家光久三男・室十五代久直女千代松）のとき、宗家光久の命により、都城島津家の嫡男は従来の北郷姓に替えて島津姓を名乗った。寛文三年（一六六三）北郷姓を改めて島津姓を称し、庶子は北郷姓を称した。

この間、十二代北郷忠能の血脈は、忠能の女春嶺（十五代久直夫室）、十五代久直と春嶺の女竹千代（十六代久定・十七代忠長の室）と受け継がれたが、十八代久理（宗家光久三男）の室は、入来（鹿児島県薩摩川内市入来町）領主入来院石見重頼の娘であったので、都城島津家における北郷の血脈は完全に絶たれている。

北郷氏より都城島津家への領主交替は、前領主北郷氏統治時代の宗教・風習・社会制度を引き継ぐことにより、都城島津家の北郷氏統治時代をも含む六百年にわたる連続性、都城島津家の領家意識に見られる、他領への移封を拒む在地領主性を主張しているところに特異性がある。都城島津家系図には、都城島津氏が前領主の北郷氏を継承したことと、都城島津氏の領家意識に色濃く見られる「断絶と継続」の構図がうかがわれる。

久倫は、この行列を行うことにより、都城島津家の都城の支配は、北郷氏の統治時代を含む五百年にわたること、そして、今後も永遠にその支配が続くものであることを主張しているように思われ、当時の都城島津家（北郷家）の領家意識が色濃く反映していると考える。

鹿児島の諏訪神社の分身である安永の諏訪神社を都城領主（都城島津家二十二代久倫）が領民を引き連れて参詣し、当時のあらゆる身分に見物させることの目的は、島津宗家の分家である都城島津家により都城が統治されていることを視覚化したものと言えるのである。

しかし、そこには、都城島津家（北郷家）の独自性も垣間見られるのである。それが、廃城となって久しい都城（鶴丸城）を出発地としている意味であり、さらに、このことは、この参詣行列に、本町・三重町・後町の三町の町人が参加を許されていることと深い関連をもっているといえよう。

つまり、久倫が安永諏訪神社領主参詣行列で再現しようとしたのは、都城（鶴丸城）廃城以前の北郷氏在城時代のことで、既に廃城になっている都城（鶴丸城）跡地から出発し、都城城下町に起原を有する本町・三重町・後町の三町の町人を引き連れ、都城（鶴丸城）城下町に起原を有せず新地移り後に成立した唐人町・平江町の二町は行列から除外して、この参詣行列を行ったと思われるのである。

二、参詣行列に、本町・三重町・後町が参列し、唐人町と平江町の参列がなかったのはなぜか

この行列に参列が認められた本町・三重町・後町の三町の共通点は、都城（鶴丸城）の城下町であったということである。本町が新地移りの直後に新地に移転しているのに対して、三重町・後町両町の新地移転は難航し、都城島津家との長期にわたる折衝・陳情・訴訟により、元禄五年（一六九二）に現在の西町（領主館西口）に移転して、新地入りを果たした。元禄五年はこの行列の天明元年（一七八一）の九十年ほど以前のこととなる。また、参加を認められなかった唐人町（中町）と平江町の二町はいずれも、新地移り後の間もない時期に新地につくられた町場である。

ここで、前掲したところではあるが、天明元年領主（久倫公）参詣行列に参列できなかった唐人町と平江町の成立の事情をいま一度確認しておきたい。

天正年間（一五七三〜九二）と寛永年間（一六二四〜四四）の二回にわたって、当時、都城領主北郷氏が飛び地として領する内之浦（鹿児島県肝付町）に渡来した多数の明人《みん》が都城に連れて来られたのが、都城唐人町とされる。唐人町は、当初は明人の居留地としての性格が強く、周囲の住民と

の関わりは薄く、領主である北郷氏の住地の移動とともに転々と移動している。北郷時久（都城島津家十代）は当初、安永城（都城市庄内町）城下にあった諏訪神社社頭（鳥居付近）に明人たちを住まわせたとされるが、北郷氏が文禄四年（一五九五）薩摩伊佐郡祁答院（鹿児島県伊佐郡さつま町）に転封になると、明人たちを湯田八幡社頭に移している。北郷忠能（都城島津家十二代）が慶長五年（一六〇〇）十一月、都城に復帰すると、この復帰時に都城に勧請された湯田八幡（都城市八幡町）社頭に移された。

このように、都城の唐人町は都城・祁答院間を転々とするわけだが、天和元年（一六一五）の一国一城令による新地移りで大きな転換点を迎えることになる。「城内」と称する新しい都城領主館の館域に湯田八幡社頭の唐人町があったので、他地に移らねばならない事情が生じた。三重町・後町の新地移転が難航し、新地に町場の不足が生じていた都城島津家は、この湯田八幡社頭の唐人町を本町の隣（現在の都城市中町）に移すことにした。この後の間もない時期に、広東省潮州府から内之浦に渡来した明人がこの中町の都城の唐人町に来住した。

「中町唐人町」に加わった潮州系華僑集団は、都城唐人町にすぐれた商業的機能で貢献したと思われる。この頃になると、日系住民も多くなり、明人居留地の性格を脱し、その繁栄は幕末・明治を迎えるまで続き、明治以降は都城の中心市街地となった。天明元年の安永諏訪御社領主（久倫公）参詣行列に唐人町が参列できなかったのは、唐人町に経済的実力がなかったことではなく、都城（鶴丸城）の城下町ではなかったことによると思われる。
また、平江町は、都城領と高城領との境にあった高木村に、都於郡《とのこおり》（宮崎県西都市）を根拠地とし北郷氏とは敵対した伊東氏が営んだ「平江町」の住民を都城領に招き、前田川以東の現在の平江町の位置に移して出来たものである。

唐人町と平江町は共に都城（鶴丸城）の城下町ではなく、いずれも新地移り後の間もない時期に成立している。一方、本町・三重町・後町の三町はともに都城（鶴丸城）城下町であった。新地移り後、本町がすみやかに新地に移転し、新しい都城島津家領町場の中心的立場を確保したのに対し、三重町と後町は、長らく、都城城下町に置き去りにされた。三重町と後町が新地の領主館西口（現・西町）に移ったのは、元禄五年（一六九二）のことで、天明元年（一七八一）諏訪御社領主（久倫公）参詣行列の九十年ほど前のことである。

この行列は廃城前の北郷氏在城時代を再現することにより、都城島津家の領家意識を再確認することに目的があった。そのため、本町とともに三重町と後町が参列できたのは、両町が本町と同様、都城（鶴丸城）城下町であったからと思われる。新地での都城島津家領町場としては、新地移り時の成立という、三重町・後町より古い歴史を有する唐人町と平江町は、都城（鶴丸城）の城下町でなかったので、行列には参列できなかったと思われる。

第三節　参列した三町の町人たちが苗字・帯刀の武家の装束で参列していることをどう考えるか
――都城島津家領町場町人の苗字取得に関連して――

一、天明元年安永諏訪神社領主参詣行列に参列した三町の町人

天明元年（一七八一）七月二十八日に行われた安永諏訪神社祭礼領主二十二代島津久倫公参詣行列に関する史料として、「庄内地理志」巻七六（安永四（北前川内・諏訪大明神））所収の「諏訪御社参（詣）都城より安永迄中途御行列」がある。

これによると、この行列には、本町十人、三重町十人、後町十人の合計三十人の町人が参列している。この三十人の町人はすべて苗字（名字）を名乗り、本町町人は鉄炮（砲）、三重町町人は弓台（空穂弓台）、後町町人は鑓を武具として持して参列している。

この行列に参列した本町・三重町・後町の町人たちが帯刀していたことは、「諏訪御社参（詣）

「諏訪御社参（詣）都城より安永迄中途御行列」（『庄内地理志』巻76＝『都城市史』史料編 近世3）

御先払足軽　野口大助　横目　浜田喜三左衛門
御中途兵司羽織脚半社頭袴羽織　同羽織袴　社頭
御先払足軽　国分与左衛門　横目村　向井若右衛門

本町 鉄炮 十挺　大石 大三　同 濃原長次 ~~江夏只七~~　同 江夏只七 ~~野口元右衛門~~　同 野口 元右衛門　同 有田 嘉平次

同 井尻 治兵衛　同 森 与三次　同 金井田 庄八　同 前原 弥市　同 清水 伝五右衛門

三重町 弓台 十肩　野口 新右衛門　同 外山 仁八　同 水間 金六　同 小山田 休右衛門　同 渕脇 六左衛門

同 野口 金左衛門　同 野口 金四郎　同 野口 万左衛門　同 杉村 新左衛門　同 坂元 金助 コノ立ボ 消シ候

後町 鑓 十本　広妹［瀬］ 平右衛門　同 中原 休市　同 中村 浅右衛門　同 野口 市左衛門　同 久保田 仁右衛門

鑓　坂元 孝右衛門　同 外山 万太　同 石原 金左衛門　同 山元 休右衛門　同 外山 善左衛門

安永衆中二十五人
羽織股引脚半之間
此間 少間置
安永衆中二十五人

〔注記①〕本町・三重町・後町の町人、合計三十人は、すべて、苗字部分と名前部分に分けて二列にされている。例えば、本町第一列先頭の大石大三は、右側に大石、左側に大三と二つに分けられている。大石とあるのは武士で、大三とあるのは、苗字（名字）のない町人名と考えてしまうと、各町二十人、三町合計六十人となり、大変まずい結果となる。恐らく、一表にまとめるのにこのような作為が施されたのであろう。

〔注記②〕第一列二番が濃原長次と江夏只七、同列三番が江夏只七と野口元右衛門と二人宛入っている。これは江夏只七が第一列二番と三番、野口元右衛門が第一列三番と同列四番にダブル形で入っていることから生じている。なぜ、このようなことがおこったか不明である。なんらかのこの行列の都合から、江夏只七と野口元右衛門の二人が他の参列者と異なる動きをしたのであろうが、参列した人数としては、本町十人、三重町十人、後町十人で、島津家領町場町人からは、三十人の参列であったことには変わらない。三町合計三十人であったことは、本文で取り上げた「諏訪御社参（詣）御備方」を参照。

〔注記③〕第五列（後町の後列）瀬の津の広妹平右衛門は、市史の広瀬平右衛門の訂正による。なお、広瀬姓は、現在でも都城市西町ではよく耳にする姓である。それに、文政十年（一八二七）三重町と後町の耶蘇教調査の名簿（『庄内地理志』巻二七〔大橋・新町〕）では、三重町で広瀬兵左衛門、広瀬貞市の二人、後町では広瀬徳太郎、広瀬三太、広瀬徳右衛門、広瀬松助の五人が見られ、広瀬姓は、都城市西町界隈では、過去、現在を問わずかなりポピュラーな姓である。

〔注記④〕第四列の最後に「コノ立ボ消シ候」とあるのは、よくわからない。行列に使われる道具なのか、それとも役割なのか不明。

〔注記⑤〕この町人集団より前に行く横目村（ママ）向井若右衛門は、横目付の向井若右衛門のことである。

都城より安永迄中途御行列」にはないが、「諏訪御社参御備方」（『庄内地理志』巻七六〔北前川内村・諏訪大明神〕）に次のように記されている。

諏訪御社参御備方

一御鉄炮十挺　本町

一御弓十張　　三重町
　但御旧式本文之通得候共、空穂弓台十肩為御持被成候
一御鑓十本　　後町
一右通御旧例にて候間、三町より御道具持に罷出候、尤刀大小帯候

この史料に「三町（本町・三重町・後町）より御道具持被成候、尤刀大小帯候」とあることで、この行列に際して、都城島津家がこの祭礼の準備係である諏訪御社参（詣）御備方にこの行列参列者三十人用として大小の刀を用意させており、このことから、行列に参列した都城島津家領の本町・三重町・後町三町の町人は、いわゆる「苗字・帯刀」の武士の装束で参加していたことになる。

だからと言って、この三十人の本町・三重町・後町の町人たちが武士身分に取り立てられたと考えるのは早計であろう。この「帯刀」とは、この行列に領主から参列を認められた都城島津家領町場町人の装束であったと考えられる。

ただ、苗字（名字）については、都城島津家領町場町人は、この行列に参列が認められなかった唐人町・三重町町人をも含めて、次項にみるように江戸後期のある時期に苗字（名字）を取得していたことは多くの史料・文献から確かめられるのである。とすると、この参詣行列に参列し

た三町の三十人の町人はすでに苗字（名字）を取得していたと考えるのが自然であろう。

都城島津家町場町人が苗字（名字）取得するのは、江戸も後期になってのことと思われるが、それは容易なことではなく、その取得には長い道程があった。以下、この苗字取得への久倫の時代までのあゆみを、文献史料からみていく。

二、都城島津家領町場町人の無苗字（名字）時代の概観

(一) 延宝五年（一六七七）の「口上覚」から

都城島津家は、新地移り後、都城（鶴丸城）下に取り残されていた三重町・後町の両町を、延宝五年の冬、高岡街道が通る鷹尾口（都城市南鷹尾町）に移転させるが、その後も強く新地への移転を求めて、三重町・後町は訴訟を繰り返している。このことは第一章第二節で見たとおりである。

前に見たように、『庄内地理志』巻七一（鷹尾口一（五拾町村））には、三重町と後町の訴状が「口上覚」・「口上之覚」として収められている。三重町と後町の町人代表である別当が口上で述べたものを都城島津家配下の役人（部当）が文章化したものであろう。その中の「天和四年　口上の覚」の文末に付せられた署名の部分は次のようになっている。

子三月廿八日（※子とあるのは天和四年〈一六八四〉甲子のこと）

重信半右衛門（家尚）殿　　部当　賀右衛門　印

北郷半右衛門（忠名）殿　　同　　二宮八左衛門　印

この文書にある部当賀右衛門は、三重町の町人代表と思われるが、苗字（名字）がない。同様の訴状は後町からも出されている。

この三重町と後町の口上書にある両町町人（小部当以下）の名前に苗字がないことから、この文書日付の天和四年（一六八四）以前の三重町・後町町民においては、苗字を得ていないことがわかる。このことはまた、三重町の町人すべてに苗字（名字）がなかったことを示しているばかりでなく、都城（鶴丸城）城下町であった三重町町人に苗字がないことは、新地移り後の他の町場、本町・唐人町・平江町の町人にも苗字（名字）はなかったと思われる。

(二) 宝永七年（一七一〇）諸国巡見使の都城島津家島津家領巡行の記録から

都城島津家領は、薩摩藩の巡見を終えた藩領幕府巡見使（九州班）一行（通常百名余）が薩摩藩領（島津領）と飫肥藩領との藩境にある牛之峠を越えて飫肥藩領（伊東領）の巡見に移る際に必ず立ち寄り、一泊するのが通例であった。幕府巡見使の遺漏なき接待は、飫肥藩領との国境の防衛と警備と並んで、都城島津家が島津宗家に負った二大責務であった。

寛永十年（一六三三）派遣の第一回幕府巡見使（国廻り上使）を派遣した三代将軍徳川家光は、酒・菓子に至るまで贈答を禁じ、巡見使の宿舎の新築を禁じ、百姓家に泊まることを命じている。また、巡見使の通行のための新たな架橋なども禁じている。家光が巡見使に求めた質素な姿勢は回を重ねるに従い次第に崩れ、形骸化した。

幕府巡見使は将軍の交代時に派遣されるのが通例であったが、幕府の安泰が続く限り、次の派遣が予想されるわけで、都城島津家では、次の幕府巡見使の巡行に備えて、幕府巡見使一行の記録が覚書の形で残されたに違いない。幕府巡見使一行の接待は、衣・食・住にわたるが、例えば都城島津家領町場町人が使役される料理心得人（包丁人）の名前における苗字（名字）の有無が都城島津家町場町人の苗字（名字）取得の問題に大いに参考となる。

江戸幕府による巡見使の全国派遣は九回に及ぶが、『庄内地理志』には、最終回の第九回の天保九年（一八三八）幕府巡見使西国班についての記載が全くない。これは『庄内地理志』の成立年代に関わることと思われる。つまり、『庄内地理志』の骨格部分は、天保九年以前に既に出来上がっていたと考えられる。

『庄内地理志』に採録されなかった天保九年幕府巡見使西国班については、『宮崎県史』史料編近世5「二二六　御巡見使御巡行ニ付諸手当帳（天保九年七月）都城島津家史料」がある。八十ページに及ぶこの史料には、幕府最後の派遣となった天保九年幕府巡見使西国班一行に賄われた接待の記録が満載されている。

『庄内地理志』には、第一回から第八回までの幕府巡見使西国班に関する記述があるが、巡見使一行の接待について詳しい記述があるのは、ここで取りあげる宝永七年（一七一〇）に派遣された第四回幕府巡見使西国班だけである。

宝永七年（一七一〇）三月二十二日、江戸を出発した第四回諸国巡見使九州班（正使小田切勘解由〔使番・二九三〇石〕・副使土屋数馬〔小姓番・二〇〇〇石〕・副使永井監物〔書院番・三〇三〇石〕一行百三十余名は、『庄内地理志』巻五四〔寺柱・上使〕によると、同年の八月二十五日都城に到着し、寺柱に一泊し、翌、早朝、牛ノ峠越えで飫肥領の巡見に向かったが、途中、中之峠で、休憩している。

都城島津家では、寺柱宿舎と中之峠茶屋〔寺柱番所から飫肥領に向かう牛之峠越えの途中にある都城島津家茶屋〕で小田切勘解由一行の饗応を行っている。この時、動員された都城島津家領町場〔本町・唐人町・平江町・三重町・後町〕町人の記載については、「料理人三重町伊右衛門、平江町半七」などと、都城島津家家臣の下人と同様、苗字がない。

そのうち、正使小田切靱負直弘〔使番・二九三〇石〕と従者四十五人の接待をするために都城島津家が町場から動員した町人の名前〔一部分〕について苗字〔名字〕の無い者を調べてみた。

小田切靱負（直広）様御方

料理人
三重町　分七
同　休兵衛
同　伊右衛門
後町　関右衛門

宮仕人
本町　千助
同　惣太
同　善助
同　善五郎

御荷物付落シ町人
三重町　庄兵衛
同　金左衛門
同　兵右衛門
同　利左衛門

この史料に料理人・宮仕人・御荷物付落シ町人としてあげられた三重町・本町・後町の町人の名前に苗字がない。寛永七年（一七一〇）は、三重町と後町が領主館西口（都城市西町）に移転した元禄五年（一六九二）より十八年後のことであるが、都城島津家領町場の町人は、十八世紀の初頭の頃は、まだ、苗字（名字）を取得していなかったと思われる。

三、交易方の廃止と十三人の苗字所有者で構成された交易町の誕生

天明元年（一七八一）、安永諏訪神社祭礼での領主参詣行列参列の三町三十人は苗字を名乗っている。このことについては、本節第一項で見たとおりである。そこで私はこの三十人の苗字はす

でに取得していたとの考えを述べたが、これには、この苗字はこの祭礼行列に限って認めたということも考えられる。その指摘をふまえて以下、久倫の政策の「交易方」に関する史料から考えをまとめたい。

交易方（交易所）は公設市場のようなもので、領主館や家臣たちの買入物など勝手口の世話をするとともに詰所を廻り歩いて物資の融通をはかる目的で、二十二代領主島津久倫によって寛政三年（一七九一）の末に始められた。都城に商品経済を導入しようとした先進的な試みであった。同四年の夏に建築を済ませ活動を始めたが、数カ月ならずして廃止になり、民間に払い下げられた。

『庄内地理志』巻二五（町客屋・片町・池之小路）に、交易方払い下げのあらましを「交易所作代料当年より九箇年四部利付」という表にまとめたものが掲載されている。初回金は、契約の当初に頭金として収めている、表の説明にあるように「九箇年四部利付」となる。交易方（交易所）は現今の市場の如く長屋式に出来ていたので廃止後はそのまま民間に払い下げ町人を居住せしめることとなり、各町よりの希望者十三人に払い下げ、家作代金は十カ年賦を以て返すことになり、唐人町の済陽惣右衛門が一時立て替えている。

表中の番号は、交易所（交易町）十三軒の町家を西から東へと付けられいる。この表には、払い下げられて、交易町の住人の苗字つきの名前と出身町名が記入されているが、平江町より来た

一交易所　但代料当年より九ヶ年四部利付　唐人町済陽惣左衛門
一一番　長屋一軒　本町　南崎十左衛門
　番　右同　右同　前原弥兵衛
一三番　右同　右同　熊原小助
一四番　右同　右同　岩満次助
一五番　右同　右同　柳田林助
一六番　右同　右同　大峯三次
一七番　右同　後町　広瀬平兵衛
一八番　右同　三重町小山田平右衛門
一九番　右同　唐人町大浦松次
一拾番　右同　右同　瀬尾八太
一拾壱番右同　本町　児玉伊与〔三〕太
一拾二番右同　後町　山元藤兵衛
一拾三番右同　後町　石原兵右衛門
右は北口田地え造立相成候家作、右之者共依願番付之通差免許候、代艮(銀)返上方之儀は、右拾三人願通、当暮より十ヶ年四分利付を以上納申付候、員数之儀は已後何分可申渡候条、此旨町奉行より可被申渡候、尤物奉行承置候様可被申渡候
但家作馬場筋へ繰出等之儀、役々見分之上、是又已後何分可申渡候
子十月〔二脱〕廿一日
川上官左衛門(家老親穠)
北郷彦右衛門(資核)

「交易所作代料当年より九箇年四部利付」
(『庄内地理志』巻25〔町客屋・片町・池之小路〕)

住民の名が見当たらないのは、平江町よりの希望者がなかったということであろう。

交易町は片町と言われた。交易町の向かい側は領主館区域であり、立ち入りが厳しく規制されていたので、道路（都城西駅に通ずる道筋）の片側だけに町ができたのである。現在、片町は、本町とともに上町になっている。

ここで、注目されるのは、払い下げに応じた十三人がすべて苗字を持っていることである。この十三人の中には、苗字を持たない町家の長男以外の子もいた可能性は大いにあるが、その場合でも、交易方家作の払い下げに応じ、交易町（片町）の店主になったことで、苗字を取得したと考えられる。兎に角、苗字を有する十三軒の商家からなる新たな町場が生まれたことになる。

交易方（交易所）の払い下げでできた交易町の全町民が苗字を取得している町人であった。都城島津家領町場の町人が苗字を取得していても、武士ではないという実態が浮かび上がる。

四、町場町人の苗字取得は、町場の経済力向上を背景にしていた

都城島津家領町場町人が苗字（名字）を取得した実年代は、交易町が出来た寛政三年（一七九一）以前に遡り得ることが明らかになった。

天明元年（一七八一）七月二十八日の安永諏訪神社祭礼領主参詣行列は、寛政三年より、わずか十年ほど前に行われている。この行列に参列した本町十人・三重町十人・後町十人の合計三十人

の町人が全員苗字を称しているが、この祭礼行列の参列に限って認められたものではなく、この時、すでに本町・三重町・後町町人は、苗字を取得していたと思われる。また、この行列に参列できなかった唐人町・平江町の町人も苗字を取得していたと思われる。

都城島津家領町場町人が苗字を取得したのは、苗字を有する本町十人・三重町十人・後町十人、合計三十人が参列した安永諏訪神社社頭領主島津久倫参詣行列が行われた天明元年（一七八一）より以前、都城島津家が動員した町人名に苗字がないことが確認される第四回幕府巡見使（正使小田切勘解由）九州班が都城島津家領を巡見した宝永七年（一七一〇）以降と考えられる。つまり、十八世紀前半から同世紀の後半にかけての約七十年間のことと考えられるが、都城島津家領町場町人が名字を取得した年代を記録した史料に出会えないのは、いかにも残念である。

一方、都城島津家の経済政策の失敗から生じた経済的困難を都城島津家領町場町人の協力で解決し、その結果として、交易町（片町）という新たな町場が誕生し、町域が拡大したのである。このことは、都城島津家領町場町人の地位と経済力の向上を物語るものであろう。

この町人の経済力の向上・行動の活発化として、章をあらためて、ここにでてきた中国名を蔡氏と言った済陽一族の済陽惣左衛門や済陽与右衛門（中国名・蔡生行）、済陽藤兵衛の事蹟を追うことで、確かめていきたい。

第4章　都城島津家領町人の活動

——町人の経済力と地位の向上の諸相——

第一節　都城唐人町明人子孫済陽氏の繁栄

一、明人の内之浦渡来と都城唐人町――明人子孫済陽氏（中国名蔡氏）――

前章第三節でふれたように、公設方の払い下げに際して、交易方の家作代金は、十年年賦で返すこととなり、唐人町町人済陽惣左衛門が立て替えを行った。都城町場町人に多額の金貸し業務を行った済陽惣右衛門は、かなりの資産を有する唐人町の有力商人（豪商）であったと思われる。

本節では、この済陽氏の足跡を追うことで、都城領町場における町人の台頭について、都城唐人町を中心に述べることとする。

その前に、明人の都城渡来と都城唐人町についてふれておかねばならない。

藤原惺窩の慶長元年（一五九六）の南薩紀行である「南航日記残簡」には、当時の内之浦には、泉州（福建省東南部）などの中国東南沿海地・琉球・ルソン島などの間に、交易船による密接な往来があったことが記されていて、内之浦が東アジア海域交易圏の一角であったことを物語っている。

内之浦は、天正年間（一五七三～九二）から、および伊集院忠棟・忠直父子領だった文禄元年（一五九二）から慶長元年までの六年間（この間、北郷氏は祁答院〔鹿児島県さつま町宮之城〕に転封）を除いて、寛永初期の頃（一六二〇年代）まで北郷氏領であった。

内之浦が都城主北郷氏領になったのは、天正元年（一五七三）、志布志街道を攻め上がって来た肝付勢を国合原合戦（鹿児島県曽於市住吉原）で破った恩賞として本藩から北郷時久に与えられたことによる。内之浦が宗家に返還されたのは、時久の孫の北郷忠能が死去した寛永八年（一六三一）前後の頃と思われる。この時、内之浦は高山郷（鹿児島県肝付郡肝付町）扱いになったようだ。

この間、二回にわたって内之浦に渡来した明人が都城に来住している。初回の明の人の渡来は天正後期の十年代（都城領主北郷氏十代時久）のこととされる。この時に渡来した明人子孫の日本名は『庄内地理志』巻一四〔本町・唐人町〕に記録されていない。二回目の寛永前期の頃の渡来明人としては、生涯、中国名で通した何欽吉のほか、天水二官・江夏生官・清水新老・汾陽青音（いずれも日本名）などの五人の明人の名が同史料には記されているものの、都城済陽氏の初祖となる明人の名はない。

二、『庄内地理志』に記載された済陽氏

(一) 巻一四〔本町・唐人町〕・巻九一〔平江町〕に記載された済陽氏

いま述べたように、寛永前期の頃、何欽吉とともに内之浦に渡来し都城中町唐人町に来住した五人の中に都城済陽氏の初祖となる人物の名はない。この時、相当数の明人が渡来しているに違いないので、恐らく記載漏れであると思われる。

同書同巻に唐人子孫として済陽惣左衛門とあるが、この人物は都城済陽氏の初祖とはできないが、『庄内地理志』巻一四〔唐人町〕の初出の済陽氏である。

『庄内地理志』巻一四〔唐人町〕の唐人町人名一覧〔五十八人〕には、済陽姓は、済陽八十八・済陽銀助・済陽兵藏・済陽十助・済陽松太・済陽休左衛門・済陽儀八跡の七人の記載がある。汾陽儀八の名は、第一節に前出した五人の唐人子孫の中にある。よって、済陽儀八には子孫がなく、絶家となったのであろう。唐人町には、済陽氏のほかに、江夏四郎左衛門・江夏儀助・江夏庄左衛門・天水藤兵衛・天水政助・頴川三蔵・頴川善次・清水氏二家など十家の明人子孫、合計十八人の明人子孫が記載されている。

唐人町五十八人中二十人が明人子孫ということになる。五十八人のなかには、子女や下男・下女・分家筋の男性は入っておらず、この五十八人は唐人町のいわば旦那衆と思われ、彼らには苗字が与えられていたことがわかる。

都城島津家領四町〔本町・唐人町・平江町・新町〕の一つである平江町は、三日町と八日町に分かれていた。『庄内地理志』巻九一〔平江町〕には、平江八日町の住民として済陽与次右衛門の名がある。平江八日町には、江夏甚助・江夏休助という明人子孫が居住していた。

『庄内地理志』巻一四（本町）によると、本町には、済陽藤兵衛・江夏仲三・済陽新左衛門・済陽利右衛門・江夏新五・江夏大八ら六人の明人子孫が居住していた。

以上のように、元来は唐人町に居住していた明人子孫のなかには、文政年間の頃になると唐人町以外の本町・平江町に居住する明人子孫が出てきている。

このことは、唐人町に居住する日系人が増加していることとあいまって、唐人町なるものが、唐人居留地あるいは唐人社会という本来の性格を失い、他町に比べて明人子孫が多い、都城島津家の町割りの一つという性格を帯びるに至ったことを物語っていると思われる。都城島津家領の町場では、日中交流が円滑に進んだ結果と考える。

㈡ 天明八年（一七八八）、二厳寺に祠堂銭五拾六貫文を差し出した都城唐人町有力町民七人の一人の済陽惣左衛門

『庄内地理志』巻七（二厳寺）によると、天明八年四月十日、剛岳様（十二代忠能）の百五十八年法事（忠能は寛永八年（一六三一）死去）に際し、唐人町の町人七人（持永善衛門・持永善助・済陽惣左衛門・清水与左衛門・大浦作助・土屋早右衛門・須田冨蔵）は、二厳寺現住（二十五世）の道厳和尚と共に祠堂銭五十六貫文を二厳寺に差し出している。ここに出てくる済陽惣左衛門は、寛政四年（一七九二）の

交易方払い下げの時、融資を行った済陽惣左衛門と同一人物である。

祠堂銭（銀）は、死者の冥福を祈るための祠堂の修復・香華を名目に寄進される金銭で、鎌倉室町時代から、寺院はこれを貸し付け元本として運用した。借り主は、神罰を恐れ、比較的滞りなく返済が行われた。都城島津家領の領内の寺院では、祠堂銭（銀）を重要な財源として運営がなされていたようで、『庄内地理志』の寺院関係史料には、祠堂銭に関する記述を多く目にする。『庄内地理志』巻七（二巌寺）には、唐人町以外の都城島津家領の町場からの二巌寺への祠堂銭（銀）の提供の記述はない。ここに唐人町と二巌寺との深い関係をみることができる。唐人町の裏通りに出るところに大昌庵という二巌寺末寺（開山二巌寺二世等倫和尚）があった。この大昌庵が唐人町住民の生活・信仰の拠り所であったと思われる。『庄内地理志』巻一五（大昌庵）によると、正徳三年（一七一三）に唐人町十一人連名（この中に済陽氏もいたと思われる）で、大石塔一基（内に仏像スカシ）を造立している（大石像塔一基〔内に仏像彫スカシ、銘に奉造立〕正徳三癸巳十二月八日　唐人町拾一人連名）。

また、大昌庵客殿（六舗四間・内二間仏壇・二間茶道）が大風にて破損の故、大洞寺へ移されたので、唐人町六左衛門と申す者が訴えたが、作り替える必要はないとの沙汰で、作り替えはなかったとある（「古来之客殿也、大風にて惣様破損之故、大洞寺〔二巌寺末寺で二巌寺内にあった〕え相直り候由、其後唐人町六左衛門と申者、御訴申上、作替間舗不替由、校割帳に相見得候」）ことからも窺われる。

二厳寺と都城唐人町は、信仰（葬儀を含む）・金融を通じて密接に結ばれていたと思われる。

㈢ 済陽与次右衛門（中国名蔡生行）の望郷の歌

済陽氏の中国名が「蔡」であったことは、『庄内地理志』巻九〔岩興・興金寺〕に、前出の平江町八日町に住む済陽与治右衛門が中国名蔡生行の名で、宮丸村の村廟であった岩興（起）大権現にある阿弥陀絵の裏に、「道わ遠く跡わはるかに別つ共／其思ひをこせと我も忘れえし」という望郷の歌を書き残していることからわかる。

岩興大権現は北郷氏二代義久室（宮丸蔵人道時女）の菩提寺である興金寺（宮丸蔵人の隠居寺・臨済宗）の境内に建てられ、宮丸氏（支族久木崎氏）の氏神として建立された。

岩興大権現は、熊野権現（熊野三社権現）を勧請し、本地仏は阿弥陀仏で、像高四寸五分（約一四センチ）の鋳物の阿弥陀座像一体とともに阿弥陀絵像一幅が祀られていた。この阿弥陀絵は、岩興権現の本地仏である阿弥陀の絵像で、岩興権現にとっては大切なものであり、その阿弥陀絵に望郷の歌を書き付けた平江八日町に住む済陽与次右衛門という明人子孫は、平江八日町の有力商人であったと思われる。

『庄内地理志』巻九〔興金寺〕によると、本町商人江夏新五（『庄内地理志』巻一四〔本町〕にその名を記している）は興金寺に檀家として、祠堂銭として銭五貫文を寄進している。ほかにも祠堂銭の寄進者はあるが、金額一貫から三貫で、江夏新五の寄進金額は突出している。祠堂銭は単なる寄附行為ではない。祠堂銭は、金融に使われ、その金利で寄進者の香華の費用にあてるもので、今でいう永代供養料であろう。よって、興金寺の広い境内には、数多くあった由緒墓に混じって江夏氏や本稿の主人公である済陽氏らの明人子孫の古墓があった可能性がある。

(四) 唐人墓地・都城市営西墓地と済陽氏の墓

『庄内地理志』巻九〔法念寺旧跡〕にある明人墓石図には、第二回内之浦渡来明人のリーダーである何欽吉（正保五年死去）の墓をはじめとして、何欽吉とともに内之浦に渡来した天水二官（天和三年死去）・汾陽青音（正保五年死去）の墓は描かれているが、何欽吉とともに内之浦に渡来し、都城唐人町に来住したと思われる済陽氏（都城済陽氏の初祖・『庄内地理志』にその名の記載がない）と江夏生官（七官・正保四年死去）の墓のスケッチはない。

西墓地には、済陽氏の墓所はいくつかあるが、都城済陽氏の初祖の墓石はない。何欽吉の墓より、南方、数十メートル離れた位置に何欽吉とともに内之浦に渡来した江夏生官（七官）の墓を初祖とした多数の江夏氏の墓石がある。この多数の墓石が何処の墓地から持ち込まれたかは不明である（『江夏家先祖代々』）。

故児玉三郎（元都城市文化財専門員）が、西墓地にある江夏氏の墓石は興金寺跡墓地からではないかと言われた。その時は、唐人墓地から以外には考え及ばなかったが、先述したように、岩興権現の本地である阿弥陀を描いた絵像に望郷の歌を書き付けた平江八日町町人済陽与次右衛門や、興金寺に檀家として多額の祠堂銭を寄進した本町商人江夏新五などの事例を考えると、児玉三郎氏の言説も根拠無しとは言えない。

大正十一年の墓地整理条例により、唐人墓地などより西墓地に移された第二回内之浦渡来者の墓は、何欽吉・天水二官・江夏生官（七官）などのごく少数の墓石に限られたようだ。

(五) 広小路に町客屋を経営した本町町人済陽藤兵衛

①江戸末期から明治初期にかけて、広小路（都城市上町・都城総合庁舎付近）に町客屋を経営した本町町人済陽藤兵衛がある。この町客屋は、天保九年（一八三八）幕府巡見副使近藤勘七郎（書院番・一四〇〇石）とその供衆三十人の宿舎（若松屋・広小路藤兵衛所）となっていて、かなり大きな屋敷であったと思われる。

②明治二年三島通庸《みちつね》の宿舎

明治二年（一八六九）九月二日鹿児島藩知事の直轄として三島彌兵衛（通庸）が着任した。時の地頭役宅は広小路の済陽藤兵衛が経営する町客屋であった。

西墓地には、済陽氏の墓所が数カ所あるが、西側の墓域に、明治十六年十月十七日七十三歳で死去した済陽藤兵衛の事を碑銘板に記した「済陽家之墓」と刻まれた済陽家の墓がある。

済陽藤兵衛は明治十六年（一八八三）に七十三歳で死去したのであれば、天保九年（一八三八）幕府巡見使都城巡行および明治二年（一八六九）の三島通庸の都城地頭就任は、済陽藤兵衛の存命中のこととなるので、この「済陽家之墓」は、幕末、広小路（上町）に町客屋を開いた済陽藤兵衛の墓所と考えられる。

第二節　都城島津家領町場町人の宇治への道
――都城茶業黎明期における町人の活躍――

はじめに

都城は茶どころとして知られる。この都城茶業をおこした人物としては、江戸時代十八世紀の池田貞記がよく知られている。その功績は大なるものがあるが、しかし、宝暦年間（一七五一～六四）、都城から京都宇治に茶修業に出かけたのは池田貞記だけではなく、都城町人の間で、池田貞記に触発されてか、同じ宝暦年間に京都宇治に茶修業に出かける動きがみられたのである。

宝暦年間、都城から、茶の名産地の宇治（京都府南部の市。宇治川の谷口に位置する）へ製茶の修業に出かけたのは、池田貞記だけではなく、都城町場町人持永安右衛門が宇治に茶の製法技術を学びに行き、「深緑」を創めている。

本節では、都城茶業の発達にふれながら、本書のテーマである町場町人の経済力と地位の向上という視点から宝暦年間から明治初期にかけて町場町人によって持続された茶業振興の足跡を明らかにしたい。

一、都城茶道の始祖「笑阿弥《しょうあみ》」

本題からはそれるが、都城における喫茶の歴史ということで、都城茶業史に関連する話題として、都城茶道の始祖「笑阿弥」を紹介する。

『庄内地理志』巻二〇〔下長飯本邑五《しもながえほんゆう》〕によると、寛永《かんえい》十年（一六三三）五月島津忠直《ただなお》（宗家光久《みつひさ》三男）が都城島津家（北郷《ほんごう》家）を相続した時（十五代久直《ひさなお》公）、鹿児島藩士長田信齋の嫡子で茶道職を務めていた茶坊主の笑阿弥が鹿児島より久直公に扈従《こじゅう》（随伴《ずいはん》）してきたが、久直公の厳命により荒川関右衛門儀連の末娘を娶《めと》り、荒川儀重の養子となり、荒川関右衛門儀連と称した。この『庄内地理志』の記述で、江戸初期の寛永期に、鹿児島の方から茶道が入って来たことを知ることができる。ちなみに、笑阿弥は『庄内地理志』編纂に大きく係わった荒川儀方の祖先となる。

二、池田貞記（通称・玄中《げんちゅう》）と都城茶の改良

『都城前賢伝』の冒頭にある池田貞記《ていき》伝によると、貞記は、享保十九年（一七三四）十一月三日、代々領主の都城島津氏に医業で仕えた池田家に生まれた。池田家は都城麓（本邑の池之小路）にあ

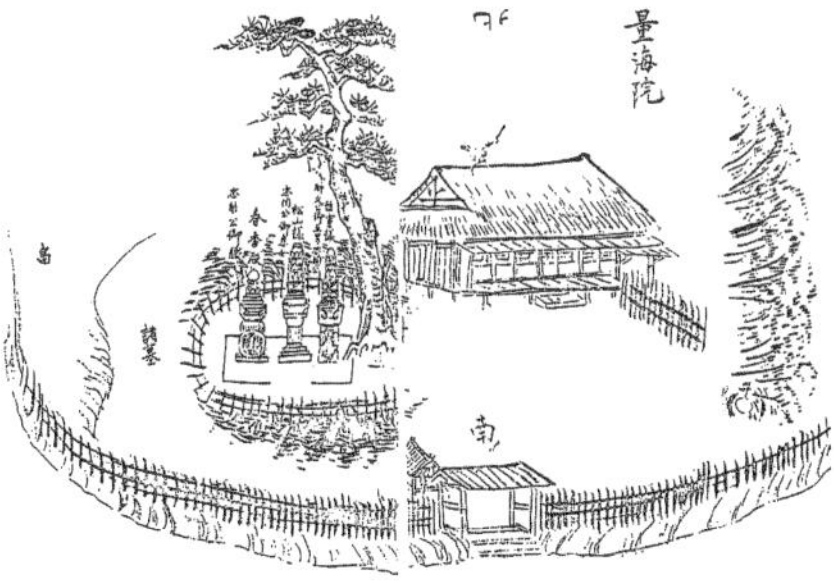

量海院絵図（『都城島津家史料』第一巻
「御先祖様御廟所御石塔御位牌調（図入）」
①12代忠能公御懐春香（芳林春香大姉）
②８代忠相公御息女松山様（松山融貞大姉）
③10代時久五男忠頼桂室様
（桂昌院殿桂室栄昌大禅貞門）

都城茶の祖・池田貞記の墓
（宮崎県教職員互助会『ふるさとのみち・宮崎の街道』より）

った。池之小路は、現在は拡張され、広口交差点から都城市警察署に通ずる大きな道になっている。蔵原町の浜田矯正歯科医院が貞記が出生した池田家の跡地といわれる。貞記は、晩年上長飯村小鷹の別墅《べっしょ》に閑居し、悠々自適の日々を過ごしたが、享和二年（一八〇二）病死した。享年六十九。池之小路の家から東方三〇〇メートルほど離れた量海院墓地に葬された。現在、下東自治公民館入り口付近に「量海院跡」と刻まれた石柱がたっている。

量海院は、『都城島津家史料』第一巻の「御先祖様御廟所・御石塔・御位牌調（図入）」に、都城島津家墓所の一つとして、「量海院

中之郷下長飯蔵原　補陀山量海院（曹洞宗龍峯寺末）」と記載されている。量海院の院号は、十代北郷時久室量海院殿伝窓妙心大姉の

菩提寺として建立された。量海院殿伝窓妙心大姉の廟所（実墓）は元西明寺、御石塔は龍峯寺で、量海院は位牌寺であった。量海院には、都城島津家一族の墓石のほかに家臣団の由緒墓が多数あった。

現在、池田貞記の墓は都城市梅北町払川にある（宮崎県教職員互助会『ふるさとの道・宮崎の街道』）。量海院墓地は大正十一年（一九二二）、都城の墓地整理事業としてできた西墓地に埋葬されることになったが、池田貞記の墓が都城市梅北町払川に移されたのは、池田貞記の子孫が当地に移住していたことに起因すると思われる。この時、量海院墓地にあった都城島津家関連の三墓石（①十二代忠能公懐〔芳林春香大姉〕・②八代忠相公御息女松山様〔松山融貞大姉〕・③十代時久五男忠頼桂室様〔桂昌院殿桂室栄昌大禅定門〕）は、龍峯寺墓地（通称島津墓地）に移されている（佐々木綱洋『都城島津家墓地』）。

貞記の「医は仁術《じんじゅつ》」と心得た診療ぶりは都城では賞賛の的《まと》であったが、貞記はそれとは別に、郷土都城に産業を興したいという熱い志《こころざし》をもっていた。都城盆地は山城《やましろ》（京都）の宇治《うじ》に劣らない茶の適地であるのに、栽培や焙煎《ばいせん》の技術が未熟なことを憂えた彼は、宝暦《ほうれき》元年（一七五一）頃に宇治に赴き、茶の栽培と製茶の技術を極め、多年の苦心の結果、宇治茶に劣らない銘茶の数々（甘露・紅梅・白梅・梅枝・小鷹・千種〔千草〕の六種）をつくり出すことに成功した。

『庄内地理志』巻四九〔小鷹大明神〕に、西ハ上長飯村、東ハ大鷺巣村、「一、野屋敷五十三間・六十三間（四反五畦拾五歩）池田玄仲、安永七年戌（一七七八）三月三日御免之旨被仰渡候」とあって、

池田貞記のことと思われる池田玄仲が四反五畝の野屋敷を所有していたことが知られることから、貞記はこの小鷹原に茶を栽培し、ここで採れた茶葉から製茶したのが「小鷹」という銘茶と思われる。

都城茶は宇治の茶より佳品《かひん》であったが、茶名は世に知られていなかったので、桃園《ももぞの》天皇に奉納し、賞賛された。ついで、宗家の島津斉宣《なりのぶ》公に献上し、都城茶の精良なるを賞され、都城の茶名は世に知られるようになった。

『都城市史』第2編 近世第3章「享保期以降の農政と藩政」によると、茶は鹿児島藩の重要な商品作物として、「上木高」として高に結ばれ把握されていた。とくに都城は阿久根郷（阿久根市）・吉松郷（姶良町吉松）と並んで他国にも茶の名所と知られていたという。

『三国名勝図会』には、「本藩の内、煎茶は都城・吉松・阿久根の三所を上とす、其内当邑（都城）を以って最上とす」とあり、この記述からも都城の茶が鹿児島藩でもっとも上品であったことを知ることができる。

三、宝暦年間に宇治に学んだ安右衛門と、持永家に伝世された「深緑」

安右衛門（持永直右衛門の曽祖父）が宝暦年間（一七五一～六四）、茶の製法技術を学ぶために宇治に行ったことは、『庄内地理志』などの都城の近世史料に記されたのではなく、真に意外なことだが、『都城市史』史料編〔近現代二〕に収められた「明治五年博覧会用品差送の件（明治五・五・一二）」という文書に記載されていたのである。

この文書は都城県庁文書である。都城県は明治四年（一八七一）十月から六年一月の宮崎県設置まで美々津県とともに今の宮崎県域に置かれた県で、その庁舎は諸県郡都城の旧都城島津家領主館に置かれ、元鹿児島県権大参事桂久武が参事に任命された。この時、都城町場の呼称の改正が行われ、本町が上町に、唐人町が中町に、平江町が下町に、新町（三重町・後町）が西町に改称された。博覧会は、この文書およびその他の関係文書の日付から、明治五年五月に都城県庁（旧都城島津家領主館）で開催されたと思われる。

明治五年（一八七二）五月に開催された博覧会に都城町人持永直右衛門が出品した銘茶「深緑」には、「深緑」の由緒（由来）が記された但書が付されていて、「深緑」は、都城町人持永直右衛門の曽祖父安右衛門が創始し、持永家に伝世されたものであることが記されている。また、この文書には、持永直右衛門も慶応三年（一八六七）宇治へ行き創始した「雪ノ城」を、都城町人野口冨右衛門倅作左衛門が安政六年（一八五九）宇治へ行き創始した「鶴ノ齢」を、それぞれ明治五年の博覧会に出品していることが記されている。

宝暦年間から、都城島津家領町場では明治五年にかけて約百二十年の長きにわたり、持永家で言えば、曽祖父安右衛門から曽孫直右衛門まで四世代にわたり、営々として宇治茶を手本に茶の品種改良が行われたことを知り得る。

明治五年博覧会に出品された茶名に付された但書は、何れも短文であるが、実に多くの貴重なことを我々に伝えてくれる。以下、箇条書きにする。
一、都城島津家領町場町人は姓氏（苗字）を有していること。明治以降のものをあてたものではないこと。
二、文政十年（一八二七）の耶蘇教徒調査（『庄内地理志』巻一四〔本町・唐人町〕）によると、当時、唐人町には、持永姓を名乗る町家は、持永浅右衛門・持永直助・持永平右衛門の三家があり、本町・平江町・新町（三重町・後町）には見当たらない。また、寛政四年（一七九二）交易方の廃止により、交易所の家作が払い下げられて出来た交易町（片町・十三軒の商家からなる）にも持永姓はないことから、「深緑」の創始者安右衛門は唐人町町人であると思われる。
三、本稿の主旨との関連でさらに重要なことがある。宝暦年間に宇治に茶修業に出かけた安右衛門が開発した「深緑」が唐人町の持永家に伝えられ、曽孫持永直右衛門によって、明治五年の博覧会に出品されていることである。
これらのことは、宝暦年間における都城茶業の振興が、都城島津家領町場を中心に明治初期にかけて展開されたことを物語っている。

四、天保九年幕府巡見副使との茶談議にでてくる「深緑」

宝暦年間（一七五一〜六四）に安右衛門が宇治で製茶修業を行い創始し、持永家に代々伝来された「深緑」が、十九世紀前半の天保年間（一八三〇〜四四）の頃の都城では、一番の上茶とされていたことが、天保九年（一八三八）諸国巡見副使近藤勘七郎（書院番・一四〇〇石）と都城島津家案内人須田祐九郎との間でかわされた問答でわかる（川越明「幕府巡見使覚書」（『もろかた』第二四号）。

天保九年七月に幕府巡見使一行約百人（正使曽我《そが》又左衛門・副使二人〔大久保勘三郎・近藤勘七郎〕）が都城に一泊し、翌朝、寺柱街道で寺柱番所に至り、牛之峠を越えて、次の巡見地の飫肥伊東藩領に向かった。今町馬場から牛之峠山頂まで約十六里の沿道には、御茶屋と数多くの湯水置場が設けられ、都城茶が振る舞われた。天保九年の幕府巡見使一行は、都城の茶についてかなり詳しい問答を行っている。

近藤勘七郎の「江戸で評判の都城と申す茶あるか」との問いに須田祐九郎は「左様な茶銘は之なし」と答え、「然らば何と申す茶があるか」との近藤勘七郎のたたみかけるような問いに対して、須田祐九郎は「「深緑」が第一よろし」と答えている。

近藤勘七郎は余ほどの茶好きとみえて、二人の都城茶談議は延々と続く。その中で、近藤の「江戸にては都城と申す茶はいよいよないか」との問いに、須田は「御座なし」と答え、近藤の

「江戸にては都城と申す茶がある。大方深緑のことならん」と自問自答した後、「その次は何と申すか」との問いに「碧露」、その次は「浅緑」と答え、もうないかとの問いに対して、「私ども不案内にてくわしく覚え申さず」と答えている。

近藤と須田との都城茶談議はこれで終わらない。近藤の都城茶の値段についての問いに、須田は「『深緑』の値段は一斤代銀十八匁より二十匁位、『碧露』は十四、五匁、浅緑は十匁位にて候はん。品により値段の高下御座あるべし」と答えている。長きに及んだ都城茶談議は、これで終わるが、「右すべて帳面に御書取」とある。

以上の巡見副使の近藤と都城島津家が用意した案内役との間でとりかわされた都城茶に関する問答が長いだけでなく、巡見副使近藤がこの問答の全てを帳面に記録したとなると、近藤が余ほどの茶好きとだけで済む問題ではなさそうである。これは、巡見使個人の趣味・趣向の問題ではなく、大名領の監察官としての尋問・聞き取り調査であったと思われる。鹿児島藩の私領であった都城島津家領の茶についての情報は、遠く江戸にも及んでいたと思われる。都城の茶について、綿密に調査することは、巡見使としての本務と心得ていたに相違ない。

この問答では、池田貞記がつくった茶の銘柄は話題にのぼらないが、都城町人持永直右衛門の曽祖父安右衛門がつくった「深緑《ふかみどり》」が都城で一番の上茶と答えられているのが注目される。

天保九年（一八三八）幕府巡見使が都城に一泊（旧暦七月十七日）し、翌日に牛之峠を越えて飫肥領の巡見に移った七月十八日を現在の暦に直すと九月六日で、真夏を過ぎたとしても残暑厳しき時候であったので、巡見使道で西国最大の難所とされた牛之峠での茶の接待は、都城島津家にとって茶業振興を図る上で重要な意味を持ったと思われる。巡見使一行が通る道筋に多くの湯水置き場が置かれ、ふんだんに茶が振る舞われたのもそのせいであろう。

都城島津家の最後の茶屋である駒帰茶屋で都城での茶を堪能したと思われる幕府巡見使は、牛之峠の飫肥側の麓にある市之瀬の茶屋（飫肥側の最初の茶屋）で、茶の接待が遅れたことに抗議し、早速の茶の接待を所望した一幕がこの問答記に次のように記されている。

飫肥の茶屋へ下沢様（大久保組下沢喜田録）御到着と伝えたところおおさわぎとなる。案内者はまだ来ていないのであった。四十以上と見える人が出て来て案内仕ると申した。

問・ここの茶屋の亭主は居ないか。

答・私は茶屋の亭主にて候、案内役未到着により私が案内仕る。

問・茶屋の亭主ならば何故茶屋のことを致さぬか、案内まかりならぬ。

と、下沢殿主従殊の外気色相かわり候、暫くして案内者参る。下沢殿付衆より私へ「彼の人が案内者なりや」とおたづねにつき「左様にても候はん」ともうしたる処御笑ひなされ候。

五、都城島津家の茶業振興

この幕府巡副使近藤勘七郎と都城島津家案内人の須田祐九郎の茶談議を記している川越明「幕府巡見使覚書」（『もろかた』第二四号）は、出典・典拠については一切触れていないが、川越氏が都城島津家の執事のような地位にあられ、都城島津家史料について通暁しておられたことから、都城島津家史料に基づいて書かれていることは間違いない。

そこで、『都城島津家伝来史料 史料調査報告書（1）〜（3）』（都城市教育委員会・平成22年3月編集・発行）に、川越明「幕府巡見使覚書」の出典・典拠となった史料を探してみたら、それに該当する史料として、『都城島津家伝来史料・史料調査報告書（1）』一二九頁・通番一一二・史料名「天保九年七月御巡見使通行に付・於諸所御答可申上大概覚」を見出すことができた。

筆者は、この史料の中身を見る機会には、未だに恵まれないが、天保九年幕府巡見副使近藤勘七郎と都城島津家案内人須田祐九郎との間でかわされた茶談議がほとんど同文で記されていると思われる。

都城島津家史料に、この茶談議が記録されているのは、須田祐九郎に対して、徹底した聞き取り調査が行われたことの証左であり、また、都城茶業に対する都城島津家の関心が強かったことが窺われる。茶業は都城島津家が育成に力を入れている業種であるとともに、茶は禁制品として他国持ち出しが厳しく規制されている品目でもあるからと思われる。

都城島津家の都城茶業に寄せる期待・関心は大きなものがあり、そのようなことを背景に、池田貞記（都城島津家家臣）は、宝暦年間（一七五一～六四）における都城茶の改良と普及の活動に先駆者的役割を果たしたと思われる。貞記の子孫は、よく貞記のあとをうけ、都城茶業の発展に尽力している。明治五年の博覧会に都城士族池田玄中（貞記の曽孫・貞記と同名）は、曽祖父玄忠（池田貞記）が創製し、池田家に代々伝来された「紅梅」を出品している。

六、江戸末期における都城茶の改良（「明治五年・博覧会物品差送の件」より）

①「紅梅《こうばい》」（正葉《しょうは》二壺・折葉二壺）　貞記の子孫は、よく貞記のあとをうけ、都城茶業の発展に尽力した。都城から出品された「紅梅」四壺（二壺正葉入り・二壺折葉）について「右都城県士族池田玄中、宝暦八戊寅セシヨリ代々製法ノ茶ナリ」とあって、都城茶祖池田玄中（貞記）と同名の曽孫、都城県池田玄中が曽祖父玄中（貞記）が創製、池田家に代々伝来された茶の銘柄である。

②「深緑《ふかみどり》」（正葉二壺・折葉二壺）　宝暦年間、宇治に茶の製法技術を学びに行った安右衛門の曽孫、都城町人持永直右衛門が、曽祖父安右衛門が創め、持永家に代々伝来された「深緑」を出品している。

③「雪《ゆき》ノ城《しろ》」（正葉二壺）　持永直右衛門が慶応三年（一八六七）に宇治に赴き創製した茶の銘柄である。

④「川霧《かわぎり》」（折葉二壺）　都城町人野口冨右衛門の祖父、碩《せき》右衛門が天明年間（一七八一〜八九）に創製し野口家に伝来された茶の銘柄である。

⑤「鶴《つる》ノ齢《よわい》」（折葉二壺）　都城町人野口冨右衛門が、倅亡（亡くなった子どものことか）の作左衛門が安政六年（一八五九）宇治に赴き伝習し、以来、野口家で毎年製造してきた茶の銘柄である。

⑥「住《すみ》ノ江《え》」（正葉二壺）　右都城町人持永和衛の祖父平右衛門が寛政年間（一七八九〜一八〇一）に創製し代々製法の茶である。

⑦「露《つゆ》ノ香《かおり》」（正葉二壺）　右都城町人持永松太郎の祖父清右衛門が享和年間（一八〇一〜〇四）創製し、代々製法の茶の銘柄である。

⑧「玉椿《たまつばき》」（正葉二壺・折葉二壺）　右都城町人児玉市兵衛が「天保十一子甫製シ」（天保十一年〈一八四〇〉庚子はじめて製造の意味）、玉椿と称し毎年製法の茶とある。

なお、篠原秀一氏は『都城庶民史』のなかで、持永直右衛門・野口冨右衛門・長井実利（不明）の三人は、茶の製法を貞記より受け、また、児玉某は茶の製法を貞記の子貞幹より受け、都城の茶業は益々盛んになり維新《いしん》に及んだと書いておられる。

七、都城茶業の振興を担った町場町人

池田貞記玄忠の都城茶業振興の先駆者としての位置は不動と思われる。貞記が都城茶祖といわ

れる所以《ゆえん》であろうが、貞記以後の都城茶業は、池田貞記が開いた宇治への道をひたすらたどり、都城に茶業を根付かせた持永家・野口家・児玉家（いずれも明治五年博覧会に出品した町家である）などの都城島津家町場の町家を中心に展開されることとなった。

篠原秀一『都城庶民史』によると、都城は、「見たかきいたか都城は茶どこ繭《まゆ》どこ米どころ」とかって野口雨情が歌った茶、蚕、米の生産地であり、先ず茶から事業は起こった。明治五年二月、村田八郎（五十石・騎馬格）を中心に十五人の出資者を募り都城茶商社が組織された。この十五人の顔ぶれをみると、発起人の村田八郎、賛同者の一人大川原仲兵衛を除けば、皆、都城町場の町人の出身者である。しかもその中には、この年の五月、都城県庁で開かれた博覧会に「深緑」と「雪ノ城」を出品した持永直右衛門、「鶴ノ齢」を出品した野口冨右衛門、「玉椿」を出品した児玉市兵衛などの都城町場町人の名がある。

この時の都城茶商社出資者は、安楽冨太郎、野口冨太郎、安楽嘉太郎、持永直右衛門、児玉吉助、児玉藤兵衛、大石又蔵、大峰清左衛門、鎌田平次郎、高野助右衛門、渡辺直八、児玉市兵衛、淵脇金助、鎌田九兵衛、大河原仲兵衛であった。村田八郎は五十石騎馬格、弓術指南役。大河原仲兵衛は大川義軌の孫で代々仲兵衛を継いでいる。この頃、商売が自由になり、士族でも料理屋を始めたが、仲兵衛は寺町通りに料理屋を始めた。その他の人々は上町、中町の一流の実業家である。

村田八郎が興した都城茶商社は、その後、順調な発展を遂げている。当時の取引先は、国内では、鹿児島・長崎・神戸・大阪・横浜・東京、国外では上海二馬路木綿問屋幸兵衛などがあり、製品にも、西洋向きとして都錦、都霧など八種類が当時の目録に記されていて、当時の都城製茶の活況が察しられる。

都城市教育委員会文化財課に都城茶商社の明治六年営業案内（「明治六年父経記於東京印刷・当時印刷記念保有者也」）が所蔵されている。この貴重な文書は、都城茶会関係者の自宅に代々伝えられていたもので、近年、文化財課に寄贈されたものである。都城茶商社が発足した翌年の明治六年の都城茶商社の営業目録で十三種の都城茶銘が都城宇治茶として販売されているのである。都城町場商人がひたすら宇治への道を辿り、子、孫・曽孫と四世代・百二十年もの長い歳月にわたって製茶に励んだ長い道程が、今、ここに一斉に花びらいた感がある。

八、都城茶業略史——まとめに代えて——

都城に茶道が入ったのは、二節「都城茶道の始祖『笑阿弥』」で述べたように、寛永十五年（一六一〇）北郷久直《ほんごうひさなお》（宗家光久三男）が都城島津家十五代を相続したとき、久直に随伴して都城島津家の茶道師範として茶坊主の笑阿弥が都城に来た時であろう。

それから、百四十数年を経た宝暦年間（一七五一〜六四）に都城島津家家臣池田貞記、都城町人持永直右衛門の曽祖父安右衛門などが宇治を訪れ、製茶の技術を学び、宇治茶に劣らない銘茶をつくり出すことに成功した。

それから約八十年後の天保九年（一八三八）、都城を訪れた幕府巡見使一行と都城島津家が用意した案内役との間に行われた問答の中に、江戸で都城茶が大変評判であったこと、都城で一番の茶は、持永直右衛門の曽祖父の安右衛門が製作した「深緑」であったことが述べられていて、江戸中期の宝暦以降行われた都城茶の改良とその宣伝の成果がはっきりと現れていることが注目される。

第六項「江戸末期における都城茶の改良」で述べたように、茶の本場の宇治に赴き、製茶技術を学ぶという都城町人の努力は、宝暦年間で終わることなく幕末にかけて連綿と継続されていた。その成果を明治五年の博覧会《はくらんかい》に出品された都城茶の多くの銘柄の中に、池田貞記（玄中）がつくった「紅梅」を曽孫池田玄中（貞記と同名）が出品していること、また、宝暦年間、宇治に茶の製法技術を学びに行って製した「深緑」を曽孫の持永貞右衛門が出品していることにみることができよう。

村田八郎による都城茶業社（都城茶会社）の設立と、全国および海外は中国上海に至る広汎《こうはん》な販売活動は、江戸中期以降、連綿《れんめん》と続けられた都城茶の改良の努力のあとを受けてなされていることが注目される。村田八郎は、都城茶会社での利益の一部を都城の教育のために寄付したり、天《てん》竜《りゅう》山摂護《しょうご》寺の前身の真宗本願寺説教所は、西南戦争のため新築を見合わせ、一万城の村田八郎の別荘に置かれた。願蔵《がんぞう》寺も一時、摂護寺の説教所が移った後の一万城の村田八郎の別荘にあった。村田八郎はこのように社会事業家としても大きな足跡を残した人物である。

池田貞記については、宇治に赴き製茶技術を学んだのは、貞記以外に数多くあったわけだが、いずれも、都城に産業を興したいという強い志《こころざし》の持ち主である池田貞記より強い影響を受けて宇治に赴いており、貞記の都城茶業の先駆者としての位置は不動と思われる。貞記が都城茶祖といわれる所以であろう。

都城茶業史を振り返って、強い印象を受けたのは、江戸中期に宇治に赴き都城茶の改良に尽くした池田貞記と明治五年都城茶会社（都城茶商社）を興した村田八郎である。この二人の起業《きぎょう》家に共通する点は、私利だけを追求したのではなく、我が郷土、都城に産業をおこしたいという熱い志《こころざし》の持ち主であったということであろう。もう一つ忘れてならないのは、池田貞記が開いた宇治への道をひたすらたどり、都城に茶業を根付かせた持永家・野口家・児玉家などの都城町家の多年にわたる都城茶業への貢献があったことである。

〔付記〕

「都城茶の発達史」をテーマとしたこの原稿は、平成十九年十月二日、神柱宮で行われた平成十九年度献茶祭で、「都城茶業の発達史――池田貞記が開い宇治への道」と題して講演を行った際の原稿をもとに加筆したものである。

この献茶祭での講演は、都城茶祖池田貞記の都城茶業発展への貢献に焦点を合わしたものとなった。ただ、この講演を私は、「もう一つ忘れてならないのは、池田貞記が開いた道が開いた宇治への道をひたすらたどり、都城に茶業を根付かせた持永家・野口家・児玉家などの都城町家の多年にわたる都城茶業への貢献があったことも忘れてはならない」という言葉で終えている。私の胸中には、宝暦年間における都城茶業の発展は、池田貞記の先覚者的な多大な貢献があったことは大きく顕彰しなくてはならないが、宝暦年間の都城茶の宇治茶を手本とする改良運動の主体は、都城島津家領町場町人ではなかったか、という思いが去来していた。

宝暦年間（一七五一～六四）における都城茶業の発展は、池田貞記が大きな貢献をしたことは認めるにしろ、都城町場町人が主体となって展開されたものではないか。江戸期の都城の町場には、都城島津家領四町と総称される本町・唐人町・平江町・新町（三重町・後町）の四つの町場（商業区域）があった。ここで、都城町場町人の都城島津家領内における在りようやその変化を史料にもとづいて、調べてみたいと思った。これが本書成立へのキッカケとなったことを付記しておきたい。

第三節　江戸期の都城町場町人の系譜
――苗字取得に関連して――

一、都城町場と町人の苗字取得

都城町場とは都城島津家領町場五町のことで、新地移り元和元年（一六一五）の新地移り後、新しい領主館を中心に成立した本町・唐人町・平江町・三重町・後町の五町場のことである。ただし、三重町と後町をあわせて新町として、都城島津家領町場四町（本町・唐人町・平江町・新町）とする研究もある。また、三重町と後町について記述された『庄内地理志』巻二七の巻名が新町・大橋となっていて、両町合わせた形になっているが、筆者はこれを取らない。その理由は、三重町と後町はそれぞれ異なった由来と由緒を持っており、また、江戸時代後期の両町の自治組織である町役（諸役）は、両町別々に組織されていたからである。

本稿では、慶長八（一六〇三）〜宝永六年（一七〇九）を江戸時代前期とし、江戸時代後期を宝永七（一七一〇）～慶応三年（一八六七）とした。つまり、五代将軍綱吉没年の宝永六年を境に、それ以前を江戸時代前期、それ以後は江戸時代後期とみる。

都城島津家領町場の町人は、宝永六年以前の江戸時代前期にはまだ、苗字（名字）を取得しておらず、同町人が苗字を取得するのは、江戸時代後期であることはすでに見てきた。

第3章で見てきたように、元禄五年（一六九二）三重町と後町が西町（都城市西町）に移転してより十八年を経た段階においても、なお、三重町・後町町民は、都城島津家家臣の下人同様、苗字（名字）取得していない。このことは、三重町と後町の町人が訴訟の中で苗字を勝ち得たのではなく、元禄五年の三重町と後町の西町移転の後の都城島津家領町場の発展、つまり、本稿のテーマでもある薩摩藩内野町城下町の完成段階において、取得したものであろうと考える。

それが何時なのかはなお不明であるが、江戸時代後期に活躍した都城町場町人列伝（人物志）として、これまで述べてきたことをまとめつつ、江戸時代後期に活躍した都城島津家領町場町人の系譜を辿ることで、この問題の解明を試みたい。

二、江戸時代前期に活躍した都城島津家領町場町人

まず、江戸時代前期に活動した苗字のない都城島津家領町場町人を史料から見ていきたい。

①三重町部当賀右衛門（嘉右衛門・加右衛門）

当時の三重町には、武士身分の部当として二宮八右衛門がいたが、隣の後町の部当をも兼ねていたようだ。賀右衛門は町人身分で、三重町人の代表またはまとめ役として、部当を務めたのであろう。

史料によって、嘉右衛門、賀右衛門・加右衛門と違いがあるが、同一人物と思われる。三重町が鷹尾口（都城市南鷹尾町）にあった頃は、まだ、江戸時代前期で、三重町の町人はまだ苗字（名字）を取得していないので、一層、判別しづらい。

下記の【史料1】の延宝六年（一六七八）三重町の口上覚には、部当賀右衛門とある。また、【史料2】の天和四年（一六八四・二月二十一日改元貞享）の三重町の口上之覚では部当嘉右衛門とある。また、天和四年の三重町の口上之覚に付せられた横折書には、部当加右衛門の署名がある。

三重町部当賀右衛門（嘉右衛門・加右衛門）は、三重町の町人をよくまとめて、この訴訟を解決に導いた人物だけに、その人物伝やその周辺（祖先・子孫）などを明らかにしたいが、何しろ苗字（名字）がないので、調べようがない。兎に角、当時の町人の社会的地位が低かったと言える。

【史料1】延宝六年戊午三重町（前年に鷹尾口（都城市南鷹尾町に移転））の口上覚（訴状の覚え）（『庄内地理志』巻七一（五拾町村））には、部当嘉右衛門（町人身分）と部当二宮八右衛門（武士身分）の二人の部当の署名押印がなされている。

〔口上覚の内容〕冒頭、三重町は、昨年の延宝五年丁巳の冬、中尾口の旧城下より鷹尾口（都城市南鷹尾町）に移住して来たが、商いが無い上、町民は農民になったとの風聞が広がったことで、嫁に来る者もなく、年々衰微し生活に困窮していて、速やかな新地への移転を懇請している。

〔口上覚の署名と押印〕

午　七月二十三日（延宝六年戊午〔一六七八〕と思われる）

部当　嘉右衛門　印

部当　二宮八右衛門　印

【史料2】

天和四年甲子（一六八四・二月二十一日改元貞享）三重町（鷹尾口移転より七年を経過）の口上之覚と横折書〔右世上色々風聞仕由にて、縁与（縁組）入来女曽て（かっての意）無之、弥衰微仕候、其証拠女房無之者多人数罷在由にて、横折書差上候〕（『庄内地理志』巻七一〔五拾町村〕）。

〔口上之覚の内容〕冒頭「三重町事、巳之年（延宝五年丁巳〔一六七七〕）より鷹尾口方角へ被召付之由候に付」とあり、延宝五年に鷹尾口に移転して以来、七年となる。その間、度々侘言（訴訟のこと）を申し上げて来たが、何も相替儀無し。三重町としては、一日も早く新地に移転し、都城城下町時代と同様、本町・三重町・後町が一筋となることを願ってきた。
三重町は鷹尾口に移転したことにより、在郷町になり、住民は百姓になったとの風聞が広まり、このことが殊の外縁組の支障となり、余町との縁組は不成立となり、このことで、次第に町中の人口が減少し、町がなり立なくなっている。恐れ多く存じますが、町中のやもめ人数を別紙に書き付けて差し上げ申し上げます。
〔口上之覚の日付・署名・押印〕
子三月廿八日
部当　賀右衛門　印
部当　二宮八左衛門　印
〔横折書の内容〕三重町の十七〜四十六歳の女房無之者（やもめ）二十八人の名簿。
〔横折書の署名〕（※押印なし）
子三月廿三日
部当　加右衛門
同　二宮八右衛門

②西川伊右衛門

万治元年（一六五八）本町部当。万治元年は十六代久定の治世（明暦二年〔一六五六〕〜寛文二年〔一

六六二）の七年間）。久定は宗家光久の二男で、都城島津家十五代久直の養子となった。

本町が都城（鶴丸城）中尾口にあった十代北郷時久の時より、武士身分の部当（高十五石）と町人身分の小部当（高二石二斗四升）が置かれていた。

別当役には、志和池の住人薗木家庶流の満木家が、初代満木隠岐重秀、二代満木甚右衛門重持、三代満木善三兵衛重伝、四代満木甚右衛門重長と代々世襲しているが、四代満木甚右衛門重長の時、訴訟となり、万治元年（一六五八）町人の西川伊右衛門が部当となり、本町部当の持高十五石も西川伊右衛門に付属された。この時、本町部当を追われた満木甚右衛門重長は天和三年（一六八三）弓場田口曖《あつかい》となっている。これより代々、延宝五年（一六七七）乙守源太左衛門が本町部当になるまで、本町部当は町家より務めることとなった（『庄内地理志』巻一四〔本町〕）。

西川伊右衛門は町人でありながら、苗字（名字）を持っていたが、このことは、都城島津家領町場町人が苗字を取得していく過程とは切り離して考えなくてはならないと思われる。つまり、西川伊右衛門には特別な事情で苗字を名乗ることが許されたのであろう。

三、江戸時代後期に活躍した都城島津家領町場町人

③安右衛門（都城町人持永直右衛門の曽祖父）

「46博覧会用品物品差差送の件　明治五・五・一一」（『都城市史』史料編　近現代2）では、「深緑」

（正葉二壺・折葉二壺）の出品者は都城町人持永直右衛門とある。文政十年（一八二七）耶蘇教徒調査の戸口調査では、持永姓は都城島津家領五町場のうち唐人町に三軒（持永浅右衛門・持永直助・持永平右衛門）だけあるので、持永直右衛門は唐人町町人であったと思われる。

この文書に「博覧会」とあるのは、この頃、設置されたばかりの都城県（明治四年十一月十四日〜同六年一月十五日の件名）の庁舎（領主館跡）で開かれたもので、唐人町（中町）の町人安右衛門が宝暦年間（一七五一〜六四）に宇治を訪れ、製茶の技術を学び帰り、自家に代々伝えた「深緑」を曽孫の持永直右衛門が出品したことが記されている。

川越明「幕府巡見使覚書」（『もろかた』第二四号）によると、宝暦年間における安右衛門の宇治での製茶修業より約八十年後の天保九年（一八三八）、江戸から訪れた幕府巡見使一行と都城島津家が用意した案内役との間に行われた問答の中に、江戸で都城茶が大変評判であったこと、都城で一番の茶は、持永直右衛門の曽祖父の安右衛門が創始して持永家に伝えられた「深緑」とある。

安右衛門の曽孫の持永直右衛門も慶応三年丁卯（一八六七）、宇治を訪れ、製茶技術を伝習し、明治五年都城県庁で開催された展覧会に「雪ノ城」を出品している。

なお、宝暦年間に宇治を製茶修業で訪れた安右衛門に苗字（名字）がないが、都城島津家領町場町人の苗字（名字）取得を考える上に貴重な史料であろう。

④天明元年（一七八一）諏訪御祭礼領主（二十二代久倫）参詣行列に御道具持として、苗字帯刀で参列した本町町人（大石大三以下十人）・三重町町人（野口新右衛門以下十人）・後町町人（広瀬平右衛門以下十人）の合計三十人が参列している。

苗字帯刀のうち、帯刀は祭礼用に準備されたものであるが、苗字（名字）は、この行列に参列した町人たちは、すでに取得していたものと思われる。

⑤後町水主勘三と源四郎

寛政三年（一七九一）観音瀬より赤江湊までの試乗が無事に行われたので（「無障通船相調候」）、唐人町水主勘左衛門・同善四郎・新五、三重町水主長蔵・同軽市・同正右衛門・源助と共に、領主（二十二代島津久倫）から青銅銭二百疋ずつの褒美を与えられている（『庄内地理志』巻二八〔通船方〕）。後町水主勘三と源四郎だけでなく、同時に褒美を与えられた唐人町・三重町の水主にも苗字（名字）がない。寛政三年頃には都城島津家領町場町人はすでに苗字を取得していたはずだがと、不思議に思ったが、水主には与えられていなかったことによると思いを致し納得したのであった。

⑥唐人町有力町人済陽惣左衛門（後掲）

済陽惣左衛門は、天明八年（一七八八）、二厳寺に祠堂銭五拾六貫文を差し出した唐人町町人七人の一人である。済陽惣左衛門については、『庄内地理志』巻一四（本町・唐人町）に唐人子孫として、天水政右衛門・汾陽儀八・清水沢助・清水与左衛門・江夏正左衛門・潁川正兵衛などと共にあげられている。

寛政四年（一七九二）交易方は廃止され、その家作である交易所は十三人の都城島津家領町場町人に払い下げられた際に融資を行ったのが、唐人町の済陽惣左衛門であった。この時、家作代金は十ヶ年四部利付の年賦を以て返すこととなり、唐人町の済陽惣左衛門が一時立て替えたのである。『庄内地理志』巻二五（下長飯本邑十（町客屋・片町・池之小路））には、交易所払い下げに係わる済陽惣左衛門の融資について、「交易所　但代料当年より九ヶ年四部利付　唐人町済陽惣左衛門」とある。十カ年賦が九カ年賦と変わっているのは、初年度分は頭金として、支払い済みであったからであって、当時の金融取引の実態がうかがわれ興味深い。

⑦交易所の払い下げに応募した十三人の町人

交易方（交易所）の払い下げに応募し入居が認められた十三人を出身町名ごとにあげると次のようになる。

【本町七人】南埼十左衛門・前原弥兵衛・熊原小助・岩満次助
柳田林助・大峰三次・児玉伊輿八

【後町三人】広瀬平兵衛・山元藤兵衛・石原兵右衛門
【唐人町二人】大浦松次・瀬尾八太
【三重町一人】小山田平左衛門（※平江町からの応募なし）

交易方（交易所）は、市場の如く長屋式に出来ていたので、その廃止後はそのままで町人に払い下げ町人を住居せしめることとなった。十三軒の苗字を所持する町家からなる長屋方式の市場が寛政四年（一七九二）に出来たのであった。

交易所の位置は都城総合庁舎とその駐車場あたりで、領主館北口の西北の角より、西の方、およそ一町（一町は六十間、約一〇九メートル）の間にあった。

交易所の前身は交易方と言われた都城島津家の役所で、寛政三年当時、都城島津家領の政治・交通の中心であった広小路（広口から本町入口まで・都城総合庁舎の東側・現上町）の一角に置かれた。公設市場の如きもので、領主館の払い物（売り払ってもよい不用品）や買入物の世話より諸士の家の勝手口などの世話などをするとともに詰所を廻り歩いて、物資融通を順調にすることが目的であったが、交易所は所期の目的を果たすことができず、翌年に巨額の借財を残して廃止され、十三人の町人に払い下げられ、交易町となり、本町部当の支配下におかれた。交易町は、道路（高岡往還）の向かい側が領主や家臣団が住まう「城内」であって店舗を構えることができなかったので、その町の形状から片町と呼ばれた。

この十三人の交易町の町人たちと融資を行った済陽惣左衛門は、都城島津家の政策的失敗による財政的困難を打開するとともに、都城の町場の拡大をもたらすという偉業をなしとげたことになる。

⑧西河（川）万右衛門

安山松厳『年代実録』によると、寛政元年（一七八九）六月二十五日、幕府巡見使（第八回諸国巡見使）一行のうち、副使土屋忠次郎（小姓組番二七〇〇石）および副使竹田吉十郎（書院番八〇〇石）とその従者が広小路の町客屋並びに本町の西川萬右衛門所（宅）に分宿している（正使小笠原主膳〔使番二〇〇〇石〕は、喜入〔鹿児島市喜入町〕で死去している）。

『筑紫日記』によると、高山彦九郎がそれより三年後の寛政四年（一七九二）六月四日、都城を訪れ、西河萬右衛門所（宅）に宿泊している。

それより、十八年ほど後の文化七年（一八一〇）六月十八日・十九日の両日、伊能測量隊坂部組一行（坂部・永井・梁田・箱田・平助）が本町西川万右衛門宅に止宿している（鹿児島県史料集十『伊能忠敬の鹿児島測量関係史料並に開設』増村宏編）。

西川万右衛門所（宅）は、大変大きく立派な家作であったと思われるが、西川万右衛門の名前は、文政十年（一八二七）の耶蘇教徒調査名簿（『庄内地理志』巻九〔宮丸村〕）の中にあるので、西川万右衛門の身分は町人である。

西河萬右衛門と西川万右衛門のいずれが正しいかということは、『筑紫日記』で高山彦九郎が記した西河萬右衛門が正しく、西川万右衛門はその略体と思われる。

⑨済陽与次右衛門（中国名蔡生行）

済陽与次右衛門の名は、文政十年（一八二七）の耶蘇教徒調査名簿（『庄内地理志』巻九〔宮丸村〕）の平江三日町の箇所にある。

済陽与次右衛門は、『庄内地理志』巻九〔岩興・興金寺〕によると、宮丸村宗廟である岩興権現大社の本地仏である阿弥陀絵像一幅の裏に、「歌曰　路わ遠く跡わはるかに別つ共其思ひをこせと我も忘れえし　願主済陽蔡氏伏生右僕射孫　済陽与次右衛門蔡氏生行」とある。

この阿弥陀絵は岩興権現の本地仏である阿弥陀の絵像で、岩興権現にとっては大切なものであったと思われる。この阿弥陀絵に望郷の歌を書き付けた済陽与次右衛門は中国名を蔡氏生行という明人子孫で、平江八日町の有力町人であったのである。

⑩初代川舟方問屋山元九郎左衛門

『庄内地理志』巻二七〔新町・大橋〕の後町の箇所に「一町役之事　部当壱人　横目弐人　用聞

五人　下山見舞壱人　大橋見舞四人　川舟方問屋壱人（山元九郎左衛門初て被仰付候）」とある。

元禄五年（一六九二）、それまで竹之下川以西の都城（鶴丸城）城下にあった三重町と後町は、領主館西口西方の西町（都城市西町）に移転するが、領主館西口番所に近い町場が三重町、大橋と言われた竹之下橋に近い町場が後町であった。『庄内地理志』巻二七（新町・大橋）では、この両町場を合わして新町としているが、両町別々に部当（町人身分）以下の町役（諸役）が置かれ、都城島津家の支配のもとではあるが、後町町人による自治がなされていた。

新町の竹之下橋の東の袂に近い西半分の後町は、とりわけ、竹之下川（大淀川）水運との係わりが深かった。都城島津家領で最も大きな橋であったので、大橋《うばし》といわれた竹之下橋（長さ三十六間、広さ二間）の維持・管理には、大橋見舞四人の後町の町役が当たった（「三重町・後町絵図」【『庄内地理志』巻二七（新町・大橋）】）。

この絵図に大橋とある竹之下橋より、約九〇メートル川上の堂川（どん川・姫城川下流で三重町・後町の南域を流れ、竹之下川に注ぐ）との合流点付近が船着き場と思われる。絵図に通船方船頭とか、通船方木屋とあり、この辺りに山元九郎左衛門の川船方問屋もあったのであろう。

文政十年（一八二七）耶蘇教徒調査の後町名簿（『庄内地理志』巻二七（新町・大橋））に、後町住民として、山元喜左衛門・山元喜右衛門・山元袈裟八・山元松兵衛・山元藤兵衛・山元休右衛・山元市左衛門の七人の山元姓の町人が記載されている。記載数としては、外山姓七人と同数で、ついで、広瀬姓四人、中村姓三人、坂元姓三人、早川姓二人などが続くが、山元九郎左衛門の名はない。これは、山元九郎左衛門は、この名簿に記された後町住民よりも世代が上であったのかも知れない。川舟方問屋が何時できたのかは不明であるが、『庄内地理志』が山元九郎左衛門を初代川舟方問屋としていることと関係がありそうだ（「川舟方問屋壱人　山元九郎左衛門初被仰付候」）。

⑪江夏新五

江夏新五の名は、文政十年（一八二七）の耶蘇教徒調査名簿（『庄内地理志』巻一四〔本町・唐人町〕）の本町の箇所にある。

『庄内地理志』巻九〔興金寺〕に、本町町人の江夏新五が興金寺檀家として、祠堂銭五貫文を寄進している。祠堂銭は金融に使われ、その金利で寄進者の香華の費用にあてるもので、今でいう永代供養料でもある。

⑫済陽藤兵衛

済陽藤兵衛は本町町人である。文政十年、耶蘇教徒調査の時の本町名簿（『庄内地理志』巻一四〔本町〕）に済陽藤兵衛の名がある。

都城市営西墓地（都城市鷹尾一丁目）にある済陽藤兵衛の墓所である済陽家之墓の右手に建てら

済陽家之墓

蓮庭清香居士の墓碑

れた済陽家銘碑（石製）には、二番目に「藤兵衛　明治十六年十月十七日　七十三歳」と、済陽藤兵衛の死去年と享年（死亡年齢）が刻まれている。明治十六年は西暦一八八三年であるので、済陽藤兵衛の誕生は、文化七年（一八一〇）あたりとなる。文政十年（一八二七）の耶蘇教徒調査の時は、済陽藤兵衛は十七歳ぐらいの青年であろう。済陽家銘碑の一番目には、「蓮庭清香　天保十五年六月十二日亡」とある。享年が記されていないので、藤兵衛との続柄は、父なのか兄なのかの特定はできないが、「済陽家之墓」と刻まれた済陽家墓所の右側にある自然石の墓石には、「天保十五年甲辰　蓮庭清香居士　済陽藤兵衛」と刻まれている。蓮庭清香居士が死去した天保十五年（一八四四）にはこの墓碑の建立者である済陽藤兵衛が三十四歳の頃であり、また天保九年幕府巡見使接待で活躍した六年後のことであり、蓮庭清香は済陽藤兵衛の父である可能性が強い。

済陽藤兵衛は都城の歴史の重要な場面に三度登場するこ

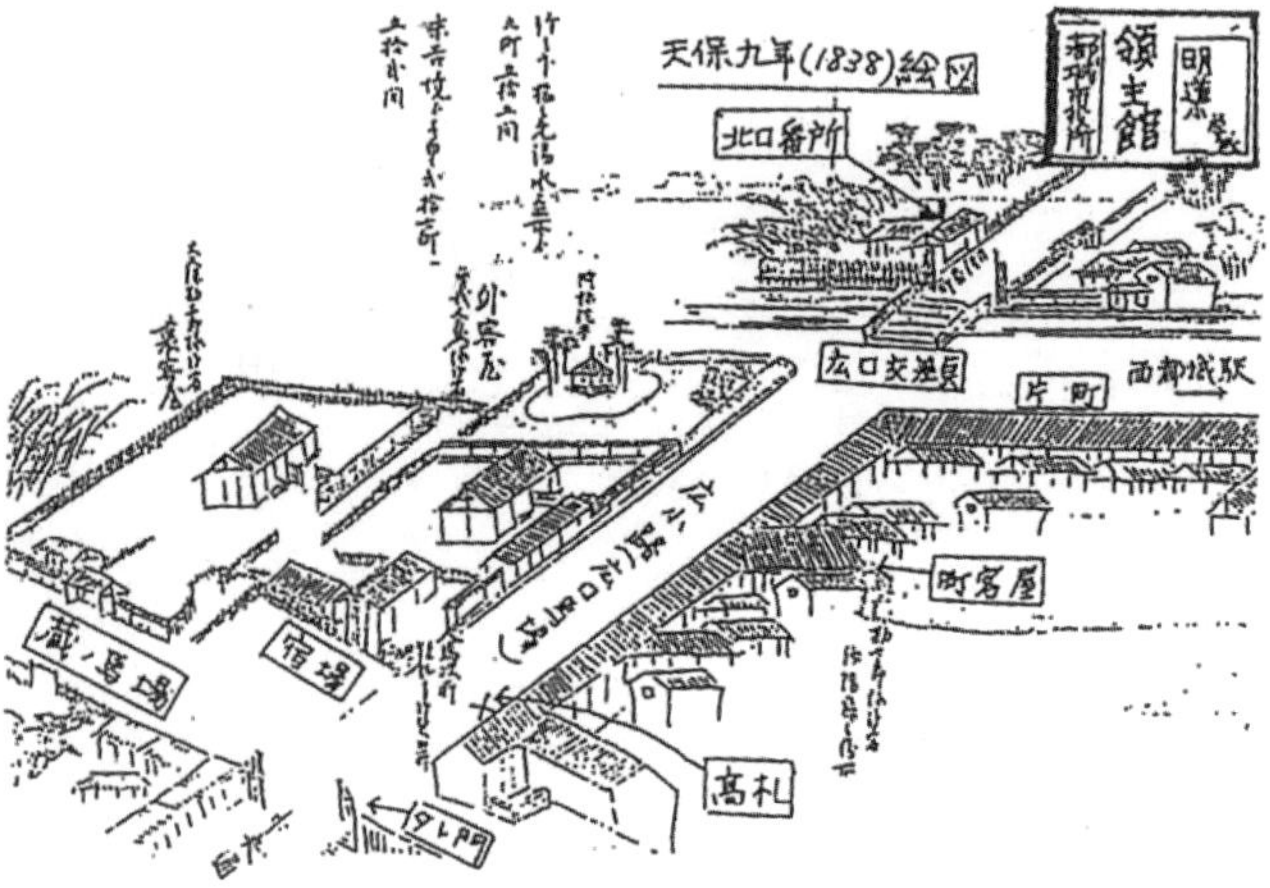

天保九年広口・広小路の図（前田厚『稿本 都城市史』）

とになる。初回は、天保九年（一八三八）幕府巡見使の都城島津家領巡行に際して、副使近藤勘三郎（小姓組番一二〇〇石）とその配下の供衆三十一人を自らが経営する町客屋（都城島津家領の政治・交通の中心である広小路にあった。広小路は都城総合庁舎の東側一帯。現、上町）で接待を行っている（「御巡見使御巡行ニ付諸手当帳　天文九年七月」）

済陽藤兵衛の都城の歴史舞台への二回目の登場は、明治二年（一八六九）九月二日、三島弥兵衛（通庸）が地頭として着任した時、その役宅が済陽藤兵衛の経営する町客屋であった。その門柱には幅六寸、長さ五尺の標札を掲げ、地頭三島弥兵衛と大書してあった（前田厚『都城市史』第六章地頭時代「三島地頭の着任」）。

済陽藤兵衛の都城の歴史舞台への三度目の登場は、都城市営墓地（都城市鷹尾一丁目）にある済陽藤兵衛の墓所が明らかになった時のことである。済陽藤兵衛の墓所に触れた研究書は未だなく、近年、筆者が西墓地にある済陽家墓所の悉皆《しっかい》調査をしたおりに見つけたものである。史跡として顕彰しなくてはならないと考える。

⑬持永直右衛門

宝暦年間（一七五一～六四）宇治に茶修業に出かけ、帰郷後、銘茶「深緑」を創製し、中町の持永家に伝世した安右衛門の曽孫。曽祖父の技術を受けつぎ、「深緑」は、明治五年五月に都城県庁で開かれた展覧会に出品された。

⑭野口作左衛門

都城町人野口冨右衛門倅亡（亡くなった倅《せがれ》）。安政六年（一八五九）宇治へ茶修業に行き、伝習し創製した「鶴ノ齢」は、明治五年五月に都城県庁で開かれた博覧会に出品された。

第5章

都城島津家領「町場城下町」の完成

――文政から幕末にかけての町人の苗字取得にみる、都城島津家領町人の台頭と町場の隆盛――

第一節　町人の半数以上が苗字を取得していた

——文政から天保にかけての都城町場の状況——

一、文政十年の都城島津家領町場の人口調査（耶蘇教教徒調査）

本書では、天明元年（一七八一）安永諏訪神社祭礼領主参詣行列に参列した本町・三重町・後町の町人三十人、および、寛政四年（一七九二）交易方家作を払い下げられた町人十三人について、都城島津家領町人の名字取得の実態を見てきたが、同年の交易方家作払い下げより、さらに三十五年後の文政十年（一八二七）に都城島津家領で行われた人口調査（耶蘇教調査）では、都城島津家領町場町人の苗字取得（成年男子）がほぼ、制度化されていた様子がうかがえる。

この人口調査では、本町と唐人町の調査統計が『庄内地理志』巻一四〔本町・唐人町〕に、平江町については『庄内地理志』巻九〔宮丸村・岩興・興金寺・隆斑寺〕に、三重町と後町については『庄内地理志』巻二七〔新町・大橋〕に、それぞれ次のように記載されている。

○本町

大石三蔵以下百三十五人（苗字〔名字〕所有者。同町の成人男子二百十人の六四・三％）

亥改元五百九人（※亥は文政十年〔一八二七〕丁亥のことである）

一本町男女五百人

内　本二百七十一人　本二百三十八人

男　二百十人（成人男子）　女百九十二人

生男五十人　生女六十一人

○唐人町

濟陽八十八以下五十八人（苗字〔名字〕所有者。同町の成人男子百十四人の五〇・八％）

亥改元二百四拾九人

一唐人町　男女二百八十人

内　本百三十二人　本百十七人

男　百十四人（成人男子）　女百七人

生男三十一人　生女二十八人

○平江三日町

清水善藏以下三十九人（苗字〔名字〕所有者。同町の成年男子八十一人の四八・一％）

○平江八日町

松元藤助以下十八人（苗字〔名字〕所有者。同町の成人男子三十七人の四八・六％）

○三重町

鎌田仁作以下四十九人（苗字〔名字〕所有者。同町の成人男子九十人の五四・四％）

○後町

山元喜左衛門以下三十七人（苗字〔名字〕所有者。同町の成人男子七十人の五二・八％）

以上が、文政十年（一八二七）の都城町場の人口統計であるが、全町とも、その町の総人口に占める姓氏保持者数が多いことが注目される。本町では、本町人口が約五百に対して、姓氏保持者が百三十五人の多きに達している。

この苗字（名字）取得状況を見てみると、各町で相当多数の町人が苗字を取得している様子がわかる。それもごく上層部の有力町人だけが苗字を称したのではなく、街道沿いに店舗を構えている、いわゆる店持ち町人が苗字を得ているようである。その町の名士だけではなく、本町ならば、「本町」という共同体の構成メンバーに苗字が与えられていると思われる。

また、文政十年、都城町場で店持ちの町人に姓氏が初めて与えられたとは思われない。文政十年の時点で店持ち町人が姓氏を称することは、定着し、もう既に制度化されていたように見受けられる。

〔付〕『都城市史』史料編近世1の頭注について

ところで、本節の一で取り上げた「文政十年の耶蘇教徒調査」については、その出典が『庄内地理志』であり、当然『都城市史』史料編にも収録されている。ただ、そこでの「頭注」の内容・付け方に筆者は疑問をもたざるを得ない。都城町場町人の苗字（名字―姓氏）問題を考える上で重要なことと考えるので、ここで付言しておく。

『都城市史』史料編近世1の『庄内地理志』巻一四（本町・唐人町）に、大石三蔵以下百三十五人の本町の苗字（名字）一覧があるが、このページの上欄の頭注に「本町衆中」とある。

同書の『庄内地理志』巻九（宮丸村・岩興・興金寺・隆斑寺）に平江三日町の清水善藏以下人三十九人の苗字（名字）保有者一覧があり、このページの上欄の頭注に「平江三日町家部」とあり、また、平江八日町の松元藤助以下十八人の苗字（名字）保有者一覧があり、このページの上欄に「平江八日町家部」とある。

同書の『庄内地理志』巻二七（新町・大橋）にある三重町の鎌田仁作以下四十九人の苗字（名字）保有者一覧があり、このページの上欄に「三重町家部」とあり、後町の山元喜左衛門以下三十七人の苗字（名字）保有者一覧があり、このページの上欄に「後町家部」とある。

ところが、唐人町については、同書の『庄内地理志』巻一四（本町・唐人町）に、苗字（名字）保有者済陽八十八以下五十八人とあって、そのページの上欄には「唐人町人名」とだけある。

「衆中」「家部」は武士階級を意味する言葉である。とすると、『都城市史』史料編近世1では、都城島津家領町場の苗字取得者について、本町・平江町（三日町・八日町）・新町（三重町・後町）についても武士身分として取り扱い、唐人町については武士身分（都城島津家家臣）と見なし、唐人町については武士身分として取り扱っていないということになる。

本書で述べてきたことだが、都城島津家町場町人は、江戸時代後期（その年代を明確にできないが）に苗字（名字）を取得していたことは明らかであるので、文政十年（一八二七）の耶蘇教徒調査の時の調査名簿にある都城島津家町場の苗字（名字）取得者を、唐人町を除いて、武士身分とすることは、当を得ていないと思われる。

本町・平江三日町・平江八日町・三重町・後町の五町については、唐人町と同様に「町名＋人名」と頭注を付せばすむことである。それともこのような頭注は不要である。『都城市史』史料編近世1で、唐人町以外の本町・平江三日町・平江八日町・三重町・後町の五町に「衆中」あるいは「家部」の頭注を付したのは、当時の市史編纂では、この五町にあげられた多数の苗字保有者は、それぞれの町場内に居住する武家と考えたのであろうか。当時としては、常識的見解と見られないこともないが、本稿で、寛政三年（一七九一）あるいは、それより十年前の天明元年（一七八二）以前に、都城島津家領町場町人が取得していることを史実として確認した筆者としては、本町などの五町に「衆中」あるいは「家部」と頭注を付したことに疑念を持たざるを得ない。

ちなみに、前田厚著『稿本　都城市史』（平成元年出版）の「各町の住民」で、「次に各町の住民を掲げる。これは文政十年（一八二七）の耶蘇教徒調査の名簿である。亥とあるが文政十年である。すべて庄内地理志に依るのである」と述べられ、本文には『都城市史』史料編近世1の該当の箇所にみられるような「頭注」は付されていない。

二、第九回（最終回）諸国巡見使の都城島津家領巡見

江戸を天保九年（一八三八）二月に出発した第九回（最終回）諸国巡見使（正使曽我又左衛門〈使番・二〇〇〇石〉・副使大久保勘七郎・小姓組番・一二〇〇石〉・副使近藤勘七郎〈書院番・一四〇〇石〉一行百余人は、同年七月十七日、都城島津家領町場に宿泊した（正使曽我は内客屋・副使大久保は外客屋、副使近藤は町客屋）。

この諸国巡見使の一泊二日の都城島津家領滞在には、都城島津家が全領民をあげて接待につとめている。その詳細な記録である「御巡見使御巡見ニ付諸御手当帳〈天保九年七月〉」（『宮崎県史』史料編　近世5）には、農民については、門名と姓氏（苗字）なしの名前で記録されている（記載例1）。

町場町人については、町場と姓氏（苗字）付の名で記されている（記載例2）。

〔記載例1〕

一水汲夫弐拾四人　百姓

但御一方様御方八人ツ、

曽我様御方

梅北村　元女橋門留蔵　淵脇門七五郎　新開門袈裟次郎〔以下省略〕

一繰越方御仕出所水汲夫拾人　百姓

野之見谷村

吹上門松之丞　桜島移助市　崎田門三四郎　春口門直助　上竹門善八

桜島移けさ助　春口門角助　桜島助太

横市村　郡元

外和田門善四郎　中園門孫左衛門

〔記載例2〕

一料理心得之者拾五人　町人

〔本町〕森十次・清水政八・南崎徳右衛門・森治三郎・山田伊三太以下省略

〔唐人町〕持永平兵衛・清水沢次・太田万吉・森治三・細江正八〔以下省略〕

一石（炭床繰越方御仕出所）江相付料理心得之者五人　町人
〔本町〕清水市兵衛・野口直蔵・猪俣助八
〔三重町〕野口□吉・鎌田乙八

すでに第3章第二節でみたところであるが、第三回諸国巡見使が都城島津家領を巡見した宝永三年（一七〇六）には、動員された都城町場町人には農民と同様に姓氏がないが、幕末の天保九年（一八三八）の際には、駆り出された都城島津家領町場のすべての町人に苗字が見られる。さらに副使近藤勘七郎（書院番・一四〇〇石）とその従者三十人が宿泊した町客屋を経営したのは、本町の富商であった済陽藤兵衛であった。唐人（明人）系の都城島津家領町場町人である済陽藤兵衛は、唐人系統の済陽という苗字を取得していたのである。

三、鹿児島藩の野町町人の苗字（姓氏）保持について——市来湊町の場合——

藩政期時代においては、特別な功績により武士に取りたてられて苗字を得たということはあるが、これだけ多く町人が姓氏を得るという例を知らない。

和田正広氏は「市来唐人町」（『華僑ネットワークと九州』九州大学社会文化研究所叢書第4号・和田正広・黒木国泰編著）で、近世鹿児島藩の野町（在郷町）町人の姓（苗字）の保持の問題に関連して、「市来湊町の富裕商家一覧」に見る商家の戸数は若松氏十二家、江夏氏七家、平川氏五家、中原氏四家、海江田氏二家である。これら商家の姓・氏は明治期以降のもので、藩政期には名だけを称していたと思われる」と記している。

市来湊町は、鹿児島県日置郡市来町（現・いちき串木野市）にある港町である。鹿児島藩の外城の一つ市来郷に属した。寛政四年（一七九二）に湊町を訪れた高山彦九郎は、町家が二五〇〜三〇〇軒ぐらい存在したと「築紫日記」に記している。

藩政時代の市来湊町の富裕商人（豪商）が姓氏（苗字）を保持していなかったということは、二五〇〜三〇〇軒あったという市来湊町の町人はすべて姓氏の保持者でなかったことになるであろうし、薩摩藩に数多くあった野町、在郷町に敷衍《ふえん》できることであろう。そうなると、鹿児島城下町はさておき、藩政時代の野町・在郷町の町人が姓氏を保持しないなか、江戸後期の都城町場町人の多くが姓氏の保持者であったという確かな事実は、極めて特異なことと言わねばならない。

第二節　都城島津家領町場町人の苗字（名字）取得の過程（年表形式によるまとめ）

都城島津家領町場町人の苗字（名字）取得について、第二章と本章第一節で論じてきたが、ここでは、年表形式にて、整理を試みたい。

都城島津家領町場町人の苗字（名字）取得に関する事項	領主（都城島津氏）
①延宝六年戊午（一六七八）口上之覚（三重町）の部当の署名・捺印 午　七月廿三日 部当　嘉右衛門　印 部当　二宮八右衛門　印 〔注記1〕三重町はこれより前の延宝五年丁巳（一六七七）丁巳の冬に、鷹尾口（都城市南鷹尾町）に移転している。 〔注記2〕部当嘉右衛門に苗字（名字）がないことに注意。 〔史　料〕『庄内地理志』巻七一（鷹尾口一〔五拾町村〕）	十八代久理《ひさみち》 〔出生〕宗家光久八男・明暦三年（一六五七） 〔家督〕寛文十年（一六七〇）〜元禄十五年（一七〇二） 〔在位期間〕三十三年 〔没年〕享保十二年（一七二七）七十一歳

②天和四年甲子（一六八四）口上之覚（三重町）の部当の署名・押印
子三月廿八日
部当　賀右衛門　印
部当　二宮八左（右）衛門　印
〔注記①〕天和四年甲子（一六八四）は、三重町が延宝五年丁巳（一六七七）に鷹尾口に移転してから七年が経過している。
〔注記②〕部当賀右衛門に苗字（名字）がないことに注意。
〔史　料〕『庄内地理志』巻七一（鷹尾口・五拾町村）

③宝永七年（一七一〇）諸国巡見使（八月二十五日都城島津家領到着）の接待
〔料理人〕三重町分七・同（休）平衛・同伊右衛門・後町関右衛門
〔史　料〕『庄内地理志』巻十四（寺柱・上使）

④宝暦年間（一七五一～六四）安右衛門（都城町人持永直右衛門の曽祖父）は、京都宇治に茶の製法技術を学びにいった。持永直右衛門は、曽祖父安右衛門が創め、持永家に代々伝来された「深緑」を明治五年（一八七二）博覧会に出品している（『都城市史』史料編・近現代「博覧会用物品差送の件　明治五・五・一一」）。

十九代久龍《ひさたつ》
〔出生〕久理長男・延宝六年（一六七八）
〔家督〕元禄十五年（一七〇二）～元文五年（一七四〇）
〔在位期間〕三十九年
〔没年〕元文五年（一七四〇）六十三歳

二十代久茂《ひさもち》
〔出生〕久龍二男・宝永八年（一七一一）
〔家督〕元文五年（一七四〇）～宝暦七年（一七五七）
〔在位期間〕十八年
〔隠居〕宝暦七年（一七五七）
〔没年〕安永三年（一七七四）六十四歳

⑤天明元年（一七八一）安永諏訪神社領主参詣行列に参列した本町・三重町・後町の三町の町人が苗字（名字）を持っている。

〔本町〕鉄炮・大石大三以下十人

〔三重町〕弓台（空穂）・野口新右衛門以下十人

〔後町〕鑓・広瀬平右衛門以下十人

〔史　料〕『庄内地理志』巻七六（安永・北河内村）

〔注　記〕この行列に参列した町人の苗字は、都城市民がよく耳にするものである。現在との連続性を感ずる。

⑥寛政四年（一七九二）交易町の成立

交易方は、寛政三年の末に計画されたが、翌年夏に建築を済ませて仕事を始めたが数カ月ならずして廃止して民間に払い下げた。

二十一代久般《ひさとし》

〔出生〕久茂長男・寛保三年（一七四三）

〔家督〕宝暦七年（一七五七）～同十一年（一七六一）

〔在位期間〕五年

〔没年〕宝暦十一年（一七六一）江戸で疱瘡を患い死去・十九歳

二十二代久倫《ひさとも》

〔出生〕久茂二男・宝暦九年（一七五九）

〔家督〕宝暦十二年（一七六二）～文政二年（一八一九）

〔在位期間〕五十八年

〔隠居〕文政二年（一八一九）

〔没年〕文政四年（一八二一）六十三歳

その廃止後は各町よりの希望者十三人に払い下げ、ここに交易町が生まれ、本町部当支配となった。そして家作代金は十カ年賦を以て返す事となり、唐人町の富商済陽惣左衛門が一時立替を行っている。かくして十三軒からなる、苗字（名字）を有する町人からなる交易町が誕生した。交易町は、町の形状から片町と言われたが、後に、本町に合わせた。現在は都城市上町に入る。ここでは、十三軒の町民（町人身分）の苗字（名字）だけを記す。

1南埼　2前原　3熊原　4岩満　5柳田　6大峰
7広瀬　8小山田　9大浦　10瀬尾　11児玉
12山元　13石原（名前省略）

〔史料1〕『庄内地理志』巻二五（片町）交易町
〔史料2〕前田厚『稿本　都城市史』上巻四三〇頁「交易方の設置とその廃止」
〔注　記〕交易町の十三人の町人の苗字は都城市民にもよく耳にするものである。

⑦文政十年（一八二七）耶蘇教徒調査を目的に行われた都城島津家領町場の戸口調査
本町：大石三蔵以下一一五人
唐人町：済陽八十八以下五十八人
平江三日町：清水善蔵以下三十九人

二十三代久統《ひさのり》
〔出生〕久倫長男・安永十年（一七八一）
〔家督〕文政二年（一八一九）～天保五年（一八三四）

平江八日日：松元藤助以下十八人
三重町：鎌田仁作以下四十九人
後町：山元喜左衛門以下三十七人　　六町合計三一六人

〔注　記〕都城島津家領町場町人の三一六人もの多くの苗字が町場ごとに記載されていて、都城島津家領町場町人の苗字取得が制度化された様子が窺われる。また、そこに記載された苗字は、天明元年（一七八一）安永諏訪神社祭礼領主行列に参列した本町・三重町・後町の町人、寛政四年（一七九二）にできた交易町の十三人の苗字と同様、都城では現在も耳にする苗字である。これは、個人に与えられたのではなく、都城島津家領町場の商家に与えられ、子孫へと相続・世襲されたものであることを示している。

〔史料1〕『庄内地理志』巻九一（平江八日町・平江三日町）・巻一四（本町・唐人町）・巻二七（新町・大橋）

〔史料2〕前田厚『稿本　都城市史』上巻四二〇頁「各町の住民」

⑧天保九年（一八三八）諸国巡見使（第九回・最終回）七月十七日都城到着。広小路にあった外客屋・内客屋・町客屋で接待

〔在位期間〕十六年

〔没年〕天保五年（一八三四）五十四歳

〔記載例〕
料理心得之者十五人（町人）本町：森十次・清水政八
唐人町：持永平兵衛
済陽休左衛門
『史料』「二二六　御巡見使御巡行ニ付諸手当帳（天保九年七月）」（『宮崎県史』史料編近世5・三七五頁）

二十四代久本《ひさもと》
〔出生〕久統長男・享保三年（一八〇三）
～明治元年（一八六八）
〔家督〕天保五年（一八三四）～安政三年（一八五六）
〔在位期間〕二十三年
〔隠居〕安政三年（一八五六）
〔没年〕明治元年（一八六八）六十六歳

都城島津家領町場町人に苗字が無かった時代から、同町人が苗字を取得した時代までを年代順に見てきた。前述したように、同町人の苗字取得の明確な時期を示す史料はない。年表で見るとおり、おおよそで言うならば、宝永七年（一七一〇）から天明元年（一七八一）の間、つまり、十八世紀の十年代から八十年代までの七十年の間に同町人は苗字を取得したと思われる。

その間、都城島津家では、十九代久龍（在位期間一七〇二〔元禄十五年〕～一七四〇〔元文五年〕）、二十代久茂（在位一七四〇〔元文五年〕～一七五七〔宝暦七年〕）、二十一代久般（在位期間一七五七〔宝暦七年〕～一七六一〔宝暦十一年〕）、二十二代久倫（在位期間一七六二〔宝暦十二年〕～一八一九〔文政二年〕）と四人の領主が交替している。

第三節　都城島津家領町場町人の成長と自治

まえがき

『庄内地理志』には、この書が編纂された当時の都城島津家領町場においては、都城島津家の支配のもとではあるが、苗字（名字）を取得した町人を中心に町人参加の町場の運営と町人自治が行われていたことが記されている。『庄内地理志』が編纂されたとされる二十二代久倫より二十三代久統にかけての時期は、都城島津家領町場が薩摩藩野町城下町として完成される時期と思われる。

元禄五年（一六九二）、三重町と後町が領主館西口（都城市西町）に移転した時に、高岡街道は竹之下橋を渡った。その後、高岡街道に沿って、後町・三重町・本町・唐人町・平江町と五つの町場が立ち並び、各町では町割りが行われ、町並みに沿って商店が整然と立ち並ぶようになった。また、店持ちの町人には苗字（名字）を称することが認められるようになった。そして、苗字取得者を中心に、町奉行の支配のもとではあるが、町人参加の町場の運営や町人の自治が行われるようになったと思われる。

なお、『庄内地理志』の成立については、『都城市史』通史編近世によると、この書の編纂は、領主二十二代久倫（家督：宝永十二年〔一七六二〕～文政二年〔一八一九〕）の代に開始され、次の二十三代久統（家督：文政二年〔一八一九〕～天保五年〔一八三四〕）の代に一応の完成をみたものであるとしている。

寛政十年（一七九八）九月三日に二十二代久倫によって「庄内旧伝」編集方を設置したのが『庄内地理志』の編纂開始とされるが、この書の完成者とされる二十三代久統の治世が文政二年（一八一九）より天保五年（一八三四）までの十五年余りという長さがあり、また、この書の完成の時期を明示するような史料が見当たらないこともあって、今もなお完成年を確定できないのが現状である。

ところで、幕府巡見使西国班の都城島津家領巡行関係の史料として知られる『庄内地理志』の巻五四〔寺柱・上使〕と巻五五〔寺柱・上使・中之峠〕の二巻には、九回に及んだ幕府巡見使西国班の都城島津家巡行のうち、初回の寛永十年（一六三三）より、第八回の寛政元年（一七八九）派遣までの記載があるのに、最終回となった天保九年（一八三八）の第九回の記載がまったくない。

このことは、幕府巡見使の研究に長い間携わって来た筆者にとっては、極めて不都合なことで困惑したものであったが、まさに、『庄内地理志』の完成時期と関連することで、つまり、『庄内地理志』の編集は、天保九年（一八三八）以前に既に完了していたからだと納得したのだった。なお、この筆者の史料上の不都合は、都城島津家所蔵「御巡見使御巡行ニ付諸手当帳」（天保九年七月）が収められている『宮崎県史』史料編近世5が発刊されたことにより解消したのだった。

一、都城島津家領町場における部当について

都城島津家領町場の町役（諸役）の要《かなめ》となるのが部当（町役の長）である。江戸初期における都城島津家の町場支配は、町奉行が担い、この下に町中取・部当（いずれも武家身分）と小部当（町人身分）があったとされる。このような江戸時代初期の都城島津家領町場の支配関係を図化したものが、次ページに掲載する図【町役概念図】である。

【町役概念図】は『都城市史』第二編近世「都城領政の確立」に掲載されたものである。【古町役名之図】は【町役概念図】の原図で、『庄内地理志』巻三九（町奉行）に掲載されている「寛永十一年都城衆中高帳之内部当・小部当」を参考にして作成されたものと思われる。

【町役概念図】は、江戸時代初期の寛永十一年（寛永年間一六二四～四四）における都城島津氏の町場支配の状況を図化したものであるが、この【町役概念図】に整然と描かれた江戸時代初期の都城島津家の町場支配は、時代の推移とともに大きく変容した。従来、武士身分で占められた部

当に町人身分が就任し、小部当が消滅する傾向がでてくる。その背景には町人の自治能力の増大があげられるように思われる。その典型的な事例が三重町である。

本稿では、都城島津氏の町場支配の要であった部当（町役の長）の員数・部当、小部当の別・所属身分（下級武士、町人のいずれか）などの時代的変化を明らかにすることで、町人層の成長と町場内での町人自治の実現を明らかにしたい。

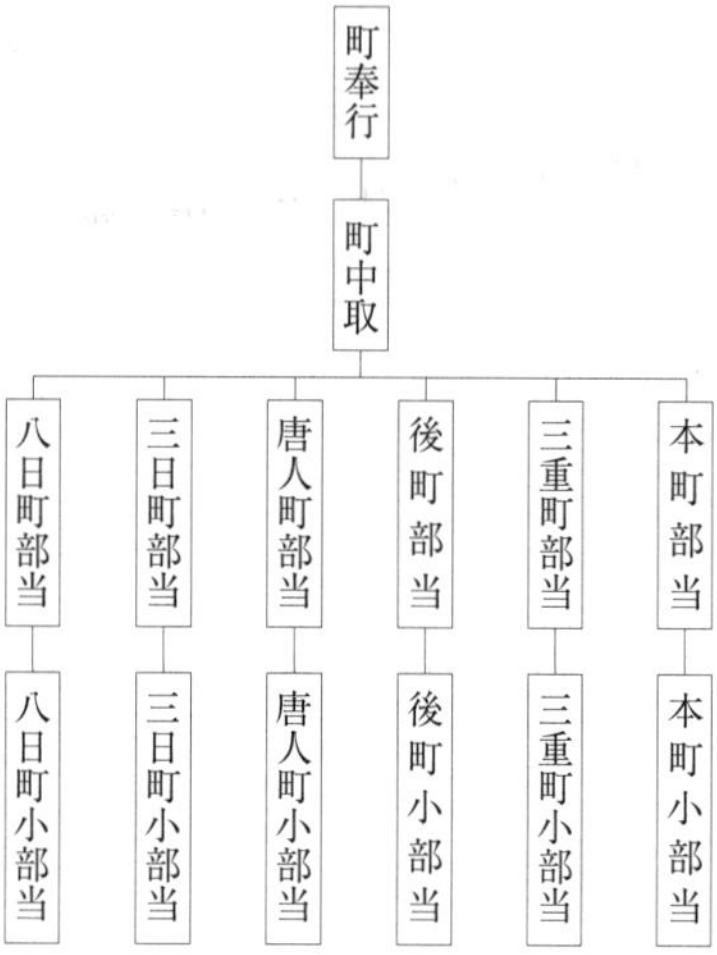

「町役概念図」

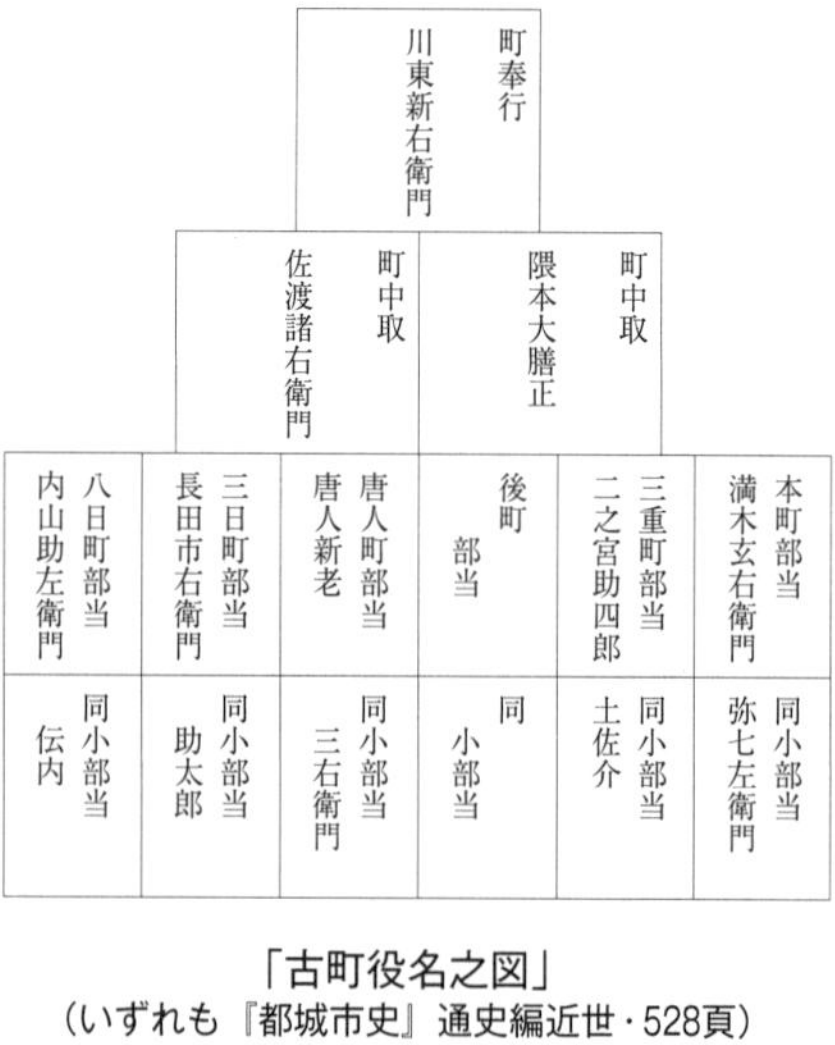

「古町役名之図」
（いずれも『都城市史』通史編近世・528頁）

二、三重町の鷹尾口（都城市南鷹尾町）移転と訴訟

当初、部当には、武士身分の部当と町人身分の小部当があったことは、前出の「寛永十一年都城衆中高帳之内部当・小部当」に「本町部当満木玄右衛門・同小別当弥七左衛門」と記されていることからもわかるが、さらに、すでにたびたび引用しているところであるが、都城（鶴丸城）西口の中尾口より鷹尾口（都城市南鷹尾町）に延宝六年（一六七八）戊午に移転してから七年を経過した、天和四年（一六八四・甲子、二月二十一日改元貞享）の三重町の口上之覚（訴状）に、左記のように、二人部当（一人は武士身分、もう一人は町人身分）の署名押印がなされている（『庄内地理志』巻七一〔五拾町村〕）。

子三月廿八日

部当　賀右衛門　印

部当　二宮八左衛門　印

重信半右衛門（家尚）

北郷半兵衛（忠誉）

この文書日付の子三月二十八日は、貞享元年（一六八四）甲子三月二十八日である。史料名は天

和四年・口上之覚とあるが、この年の二月二十一日に貞享と改元されている。覚とは覚書のことである。この文書の宛名の重信半右衛門（家尚）と北郷半兵衛（忠誉）の二人は町奉行と思われる。町奉行は当初一人であったが（『都城市史』通史編近世）、明暦二年（一六五六）五月の記録には、「町奉行両名」とあり、二人いたことが確認される（『都城市史』史料編近世2）。

二人の部当のうち、苗字（名字）のない賀右衛門の身分は町人で、小部当と思われる。三重町が鷹尾口に移転した翌年の延宝六年戊午七月二十三日に三重町から出された口上覚では、嘉右衛門となっている。同一人なのか、別人なのか苗字（名字）がないので、判別できない。もう一人の部当二宮八左衛門は二宮八右衛門の間違い（後述）と思われる。

子三月二十三日の日付のある後町からの横折書には「右世上色々風聞仕由にて、縁与仕入来女曽無之、弥衰微仕候、其証拠三重町後町共に女房無之者、多人数罷在由之者、多人罷在由にて、横折書差上候」とある。この横折書は天和四年（一六八四）後町よりの口上之覚（訴状）の末尾に添えられたもので、合わせて二十一人の女房無者（男やもめ：十八歳の新左衛門から四十八歳の松之充まで）の後町町人の名前（苗字なし）が書かれている。その最後に次のように記されている。

部当　伊助
部当　二宮八右衛門

この史料から、三重町・後町が協力して訴訟を行った頃は、三重町部当二宮八右衛門は後町部当をも兼任していたことが知られる。この文書は三重町から出された訴状であるが、三重町部当（町人身分）の賀右衛門（あるいは嘉右衛門）が三重町町人の意見を代表して口上（口頭で述べる）したものを、武士身分の三重町部当の二宮八右衛門が成文化したものであろう。

三、元禄五年訴訟の解決と三重町・後町の西町移転

元禄五年（一六九二）三重町と後町の西町（都城市西町）移転と、筆者の持論とする「薩摩藩内野町城下町」の成立とは、次にあげる三つの側面で密接に関わっているように思われる。

㈠ 都城島津家領町場五町（本町・唐人町・平江町・三重町・後町）の枠組みの成立

三重町と後町を合わせて四町とする場合があるが、本稿では五町とする。『庄内地理志』二七巻は、巻名は「（本邑）・新町・大橋」となっているが、三重町と後町は、それぞれ、町人身分の部当一人を筆頭とする別個の町役の組織を有するものとして記述されていることが、その主な理由である。

元禄五年、三重町・後町の西町移転以前においては、新地には、領主館の北口に本町（都城市

上町）、そしてその北に隣接して唐人町（同市中町）があり、前田川を隔てて平江町（同市平江町）と、それぞれ由緒を異にする三町場が所在した。

そして、竹之下川（大淀川）以西の旧城下には、高岡街道に沿って都城（鶴丸城）西口の中尾口より鷹尾口（都城市南鷹尾町）に移転していた三重町、高岡街道に長蛇の列をなしていた三重町の最後尾に中尾口あたりにつけていた後町と、旧城下町の歴史を有する二町場が所在しており、上記の五町場を束ねるような枠組み・まとまりはまったくなかった。

元禄五年、三重町・後町の西町移転により、新地に都城島津家領町場の全てが所在することとなった。この五町場を繋いだのが高岡街道であった。

(二) 高岡街道が現在の竹之下橋をわたるようになったこと

元禄五年以前の高岡街道は、龍泉寺坂を真っすぐ下り、古い竹之下橋（現在の竹之下橋より約九〇メートル川上に架橋されていた）を渡り、「城内」といわれた領主館界隈の南側を通り、甲斐元（都城市甲斐元町）で志布志往還（街道）に合流し、この道を北上し、領主館の東口や蔵原四辻（都城市蔵原町・ここで右折すると寺柱街道となり飫肥領に通ずる）を経た後、北上し高岡（宮崎市高岡町）に向かっていたが、三重町と後町を新地に招致するために行われた領主館西口の大工事で、古い竹之下橋より約九〇メートル川下（現在の竹之下橋の架橋地点）に新たに架橋された竹之下橋を渡ることとなった。このことが、やがて、高岡街道があざなえる一本の縄となり、三重町と後町の西町移転の結果、新地内に集結していた都城島津家領五町場を一つにまとめ上げる大いなる機縁となったと考えられる。

竹之下橋を渡った高岡街頭は、後町と三重町を通って直進すると領主館西口番所に至り、そのままだと、城内（領主館界隈）に入ることとなる。他国人筋である高岡街道が城内に入ることを避けるために、領主館西口番所の前で左折し、松元馬場（高岡筋往還）に入り、城内（領主館界隈）の西側を回り、領主館北口に出て、ここで真北に進路を変え、現在の国道十号と重なる形で、高岡（宮崎市高岡町）に向かう道が整備された。この高岡街道の道筋の変更によって、都城島津家領全町場が後町、三重町、本町、唐人町、平江町の順に一本の道筋に連なることとなり、それに沿って道路整備、町割や屋敷割が行われ、町並みにそって商家が立ち並び、やがて、店持ちの町人を中に苗字（名字）を取得するようになったと思われる。

㈢　三重町・後町の自治能力

これもすでに述べてきたことであるが、『庄内地理志』は、巻二七（下長飯本邑一二〔新町・大橋〕）で、元禄五年（一六九二）三重町と後町が旧城下に取り残されている窮状を領主の都城島津家に訴え出たことにより、両町は領主館西口番所前より竹之下川までの荒れ地（都城市西町）を開発し、ここに移住した、と記している（「元禄五年三重町・後町之儀訴訟申上、当時之場所へ罷移候」）。わずか二十数文字の史料であるが、その意味するところは大きい。真に貴重な史料である。

三重町と後町は、領主館に新地移りの時、倉之馬場（都城市蔵原町）に移転することになってい
たが、この地が領主館に近すぎるという理由から延期されているうちに、同地が都城島津家家臣
が居住するようになり、両町は竹之下川（大淀川）以西の旧城下に長期にわたり、取り残される
こととなった。

都城島津家の領民と三重町と後町の町人は、訴訟では、旧城下に残された窮状を訴えたが、領
主の都城島津家側は、新地には両町を招致するような土地はないとの主張を繰り返すばかりでな
かなか進展が得られなかったようだ。

交渉は一種の膠着状態に陥った最中、新地に三重町と後町が移転する土地がなければ、それを、
作り出そうという案が浮上したと思われる。領主館西口を開発して、ここに三重町と後町を移そ
うという案である。この案が領主側、三重町・後町のいずれから出されたものかはわからないが、
この案が実行され、三重町と後町の西町移転が実現したのであった。それは、西町と後町の勝訴
なのか、それとも都城島津家の譲歩によるものかもわからない。その実、そのいずれでもなく、
一種の契約関係（約束事）であったように思われる。

この領主館西口の開発では、従来の竹之下橋を川下に約九〇メートル（現在の同橋の架橋地点）移
動させ、従来、龍泉寺坂を真っすぐに下っていた高岡街道を曲げて、新しい竹之下橋とつなぐ工

事が行われている。また、同地は河川の氾濫原で低地であったので竹之下橋の東袂に続けての三重町・後町の町並みや船着き場の造成、それに河川の氾濫に備えての護岸工事などに多量の土石の運搬・投入が必要であったことから、予想された膨大な労働量を三重町と後町が一手に負担すると確約したことで、この契約は成立したと思われる。そして、三重町と後町の住民は、瀕死状態にあるわが町を更生するためにそれこそ、家族総出でひたすら、土石の運搬に従事したと思われる。その甲斐あって、元禄五年の三重町・後町の西町（都城市西町）移転が実現したものと考えたい。

こうしたことを通じて都城島津家と三重町と後町の間には厚い信頼関係と、また、双方に領民意識が生まれたと、思われる。三重町と後町の西町移転後の元禄十年（一六九七）、両町の部当を兼ねていた二宮八右衛門が大番立身に昇格したことを機会に両町では武士身分の部当が廃止され、町人身分の部当だけになったことと、両町の西町移転の時に見せた見事な統率力と自治能力とは無関係とは言えないように思われる。

三重町と後町の町人自治と町役（諸役）については、「六、『庄内地理志』に見る都城島津家領町場における町人自治と町役（諸役）」で扱うが、三重町については『庄内地理志』巻二七（新町・大橋）の「三重部当」の箇所に、三重町の町役（諸役）についての記述があり、後町については、同書の「後町」の箇所の「町役之事」に後町の町役（諸役）について記述がある。

四、本町における部当制度の変遷

『庄内地理志』巻一四（宮丸村本邑一〔本町・唐人町〕）の「本町部当」では、都城島津家領町場の中心であった本町の部当制度とその変遷を旧城下町（中尾口本町）時代にさかのぼり、さらに『庄内地理志』の編纂時までまとめられていて、大変貴重な記録である。ここでは、主として「本町部当」に依拠し、あわせて『庄内地理志』巻三九〔町部当〕、「都城における町の支配」（『都城市史』通史編）なども参考にしながら都城島津家の町場支配の仕組みとその変遷を明らかにしたい。

「都城における町の支配」では、「部当は当初、武士身分の者が就任していたが、西川伊右衛門が就任してからは町人になった」とある。このあたりのことを「部当制度」はどのように記しているのであろうか。

それによると、部当制度の起源は古く、本町が都城（鶴丸城）西口（中尾口）にあった頃に淵源するようだ。北郷氏十代時久が領主であった文禄二年（一五九三）は、満木隠岐重秀が中尾口本町部当役であった。その後を継いで三重町部当となったのが、嫡子の同甚右衛門重持で、その後を継いで十二代忠能の代に本町部当となったのが、その嫡子の満木善三郎重伝で、その後を継いだのが嫡孫の満木助四郎であったが、若年にて部当を務め難く、小部当が仮部当を務めた。満木助四郎は成長して満木甚（順）右衛門重長と名乗ったが、訴訟となり、甚右衛門重長は天和三年（一六八三）弓場田口に転出し、町人の西川伊右衛門が本町部当となった。本町では当初、武士身分の者が部当に就任していたが、町人西川伊右衛門が就任してからは町人が就任していた。

延宝五年（一六七七）二月十九日の使座日記に、十八代久理（家督：一六七〇～一七〇二）の方から、「町奉行衆北郷弥左衛門殿へ仰渡され候、本町部当には、前には都城島津家の衆中が相務めていたが、近年、町人へ仰付られ候、此節より前々の如く、衆中（武士）に仰付候に付き、乙守源太左衛門へ仰付候」とある。

この史料には、本町では当初、武士身分の者が部当に就任していたが、近年、町人へ申し付けるようになっている。今後は衆中身分を本町部当に申し付けるという方針を明示した上で、武士身分の乙守源太左衛門を本町部当に申し付けている。

乙守源太左衛門が本町部当に命じられ、以後、再び本町部当には衆中（武士）が任命されるようになったほか、本町・唐人町・平江町の三町は本町部当の支配を受けることとなり、本町・唐人町・平江町の三町では、定員二人の部当はそれぞれ一人ずつ減ぜられることとなった。つまり、武士身分の部当は、都城島津家領町場の中心である本町だけに置き、その支配を受ける唐人町と平江町には、町人身分の部当が一人ずつ任命されるようになった。

「四、元禄五年（一六九二）訴訟の解決と三重町・後町の西町移転」で述べたように、三重町と後町については、従来、武士身分の部当と町人身分の部当の二人の部当がいたが、元禄五年に西町（都城市今町）に移転した後は、元禄十年になると、武士身分の部当は置かず、町人身分の部当だけを置き、町奉行の直接支配を受けるようにした。

このようにして、都城島津家領町場で、武士身分の部当が置かれたのは本町だけで、ほかの唐人町・平江町・三重町・後町には町人身分の部当が置かれ、本町・唐人町・平江町の三町は本町部当、三重町と後町の二町は町奉行が直接支配することとなった。

すべての町場に武士身分の部当と町人身分の小部当を置いた、前掲の江戸初期の都城島津家の町場支配の構図（町役概念図）が一変していることに注目したい。都城島津家領町場町人の自治能力の増大と訴訟の増大に対処して、より効果的な支配を行うようになったことがうかがわれる。そのような変化の裏側に、都城島津家町場町人の成長の確かなる跡をみることもできよう。

〔参考史料1〕『庄内地理志』巻一四（本町）の乙守源太左衛門の条

一乙守源太左衛門

延宝五年丁巳閏拾二月十九日使座日記に、町奉行衆北郷弥左衛門へ被仰渡候、本町部当前にハ当所衆中相勤候、近年町人え被仰付候、此節より如前々之衆中に被仰付に付、乙守源太衛門へ被仰付候、夫に付本町・唐人町・平江町此三町ハ本町部当支配被仰付候、夫に付唐人町・平江町部当壱人ツヽ、被滅候間、其通に可被申渡候、三重町・後町・高木

町三町ハ其方角へ被相付候間、左様に相心得候様に可申渡候事……後略

〔参考史料2〕『庄内地理志』巻二七〔新町・大橋〕の三重町部当の条

二之宮八右衛門（二之宮覚右衛門嫡子）初宮千代、十六歳之時三重町部当之時、三重町部当被仰付候、其後元禄十年忠智公十八代久理御代大番立士立身被仰付候、此已後部当役町人相勤候、今当所中、二之宮家都て（すべて）此子孫にて候

五、『庄内地理志』に見る都城島津家領町場における町人自治と町役（諸役）

『庄内地理志』では、本町と唐人町は巻一四〔本町・唐人町〕、平江町は巻九〔宮丸村〕、三重町と後町は巻二七〔新町・大橋〕のそれぞれに記載された文政十年（一八二七）の耶蘇教徒調査の時に作成された住民名簿の後に、各町の町役のことが記載されている。

耶蘇教徒調査が行われた文政十年は、都城島津家二十三代久統の治世である。久統が都城島津家の当主であったのは、文政二年（一八一九）より天保五年（一八三四）までの十六年間で、文政十年、耶蘇教徒調査の名目で行われた都城島津家町場の戸口調査は、『庄内地理志』の完成者と目されている久統が都城島津家当主となって九年目のことであるので、『庄内地理志』に記された都城島津家領町場の状況は、『庄内地理志』の完成期のものであったことになる。

【本町】『庄内地理志』巻一四〔本町・唐人町〕

〔本町部当〕※都城島津家領町場の中心であった本町の部当職の変遷〔都城城下町時代から『庄内地理志』完成の頃まで〕を三ページにまとめてあり、極めて重要。

〔諸役名〕部当壱人〔役料高六石〕・横目弐人・用聞七人・定月行司弐人・町同心三人・旅人問屋壱人・下山見廻壱人・御薬薗方弐人〔御薬薗方西川駒助〕

〔注記1〕部当は、おさ・長官・代表の意。町役〔諸役〕の長。

〔注記2〕本町・唐人町・平江町三町のうち、本町だけに武士身分の部当が置かれ、本役料高六石が与えられた。本町部当は、本町のほかに武士身分の部当のいない唐人町・平江町をも支配した。

〔注記3〕横目は監察役。武士身分と思われる。本町以外の町場でも横目は武士身分であったと思われる。

【唐人町】『庄内地理志』巻一四〔本町・唐人町〕

〔町役〕部当壱人・横目弐人・用聞八人・定月行司弐人・本町口橋見舞壱人・前田橋見舞弐人

〔注　記〕部当壱人は町人身分と思われる。

【平江町】『庄内地理志』巻九〔宮丸村〕

〔平江町役之事〕部当壱人・横目弐人・定月行司弐人・用聞七人・平橋見廻弐人

〔注記1〕平江町は、三日町と八日町に分かれるが、町役は両町合わせて平江町として置かれている。部当壱人は町人身分と思われる。

〔注記2〕この「平江町役之事」の前項に、「平江町之内十ヶ所部当屋敷として七畦被仰付置候平江両町（三日町と八日町）部当屋敷として壱町に五ヶ所ツヽ、一ヶ処に六畦十歩ツヽ、被下置候」とある。以前、平江町に武士身分の部当が置かれていた頃のなごりか。それとも、平江町を支配する本町部当が使用するのか。

【三重町】『庄内地理志』巻二七〔新町・大橋〕

〔三重町部当〕※前半は三重町の部当の歴史がまとめられていて、大変貴重な記録である。後半で、文政十年（一八二七）当時の三重町の町役のことが記されている。

〔当時町役〕部当壱人・横目二人・用聞七人・定月行司二人・町同心壱人（半方仕）・中橋見廻壱人・観音前東口見舞壱人・新道橋見舞壱人

〔注記1〕「当時町役」は、昔の町役ではなく、現在の町役の意である。

〔注記2〕「三重町部当」によると、三重町では、二宮（二之宮）家が部当を世襲していたが、長年の訴訟を経て、元禄五年（一六九二）三重町の西町移転が実現すると、訴訟中、三重町部当を務めた二宮八右衛門が元禄十年大番立身に取り立てられた時より、三重町部当は町人が務めるようになり、三重町は町奉行の直接支配を受けることとなった（二之宮覚右衛門嫡子……中略……十六歳の時三重町部当仰付、其後元禄十年忠智公（十八代島津久理）御代、大番士立身被仰付候、此巳後部当役町人相勤候、今当所中、二宮家都て（全ての意）此子孫にて候）。

【後町】『庄内地理志』巻二七〔新町・大橋〕

〔町役之事〕部当壱人〔町人身分〕・横目弐人・用聞五人・定月行司弐人・下山見舞壱人・大橋見舞四人・川舟方問屋壱人〔山元九郎左衛門初て被仰付候〕

〔注記1〕元禄十年（一六九七）以前は、三重町部当二宮八右衛門が後町部当を兼ねていたと思われるが、同年二宮八右衛門が大番立身に取り立てられた時、三重町同様、武士身分の部当は廃止され、部当は町人身分のみの一人となった。

〔注記2〕初代川舟問屋山元九郎左衛門の山元姓は後町町人に多い姓である。『庄内地理志』巻二七〔新町・大橋〕には、山元喜左衛門・山元喜右衛門・山元袈裟八・山元松兵衛・山元藤兵衛・山元休右衛門・山元市右衛門の七人の山元姓の町人が記されており、初代川舟問屋を営む山元九郎左衛門は、後町の有力町人であったと思われる。

〔注記3〕文政年間（一八一八～三〇）においては、西町（都城市西町）は新町と言われ、領主館西口番所に近い三重町（長八十四間）と竹之下橋の東袂に近い後町（長六十四間）とに分かれていた。そのうち、竹之下川の河川交通に深い係わりがあったのは、川べりにあった後町であった。

『庄内地理志』巻二七（新町・大橋）の「三重町・後町絵図」（本書54ページ参照）によると、竹之下橋より約九〇メートル川上の堂川（姫城川下流・新町の南辺を流れる）の河口付近が船着場で、通舟方船頭、通舟方木屋などがある。この辺りに、後町町人の山元九郎左衛門が営む川舟方問屋があったのであろう。

第四節　都城島津家領「町場城下町」の完成

はじめに

ここまで見てきたように、都城島津家領町場では、江戸時代後期から始まった町場町人の苗字（名字）取得が、幕末にかけては実にたくさんの町人の苗字（姓氏）取得にまで広がっている。

藩政期時代においては、江戸・大坂・京都の商人が屋号を苗字のように使用したり、御用商人として多くの献金をするほどの特別な財政的功績により武士に取りたてられて苗字帯刀を許されたというような事例はよく耳にする話であるが、江戸を含めて、大名城下町・私領町場（薩摩藩内の野町など）・在郷町（本百姓を中心とする小都市集落）・湊町などの近世町場において、都城島津家領町場のように、これほど多数の町人が苗字（名字）を取得・世襲され、制度化していた例を知らない。筆者の勉強不足・情報収集不足があるのかもしれないが。

江戸時代前期において、姓氏を有せず、無権利、あるいはそれに近い状態にあった都城町場町人は、江戸後期になると、かなり多くの町人が姓氏（苗字）を称するようになった。このことは、江戸後期の都城島津家領における町場町人の地位の向上を明示している。この町場町人の地位の向上こそ、都城の町場の活性化を生み出したと考えている。この都城町場町人の地位の向上と商業活動の活性化は、幕末において、顕著にあらわれ、明治に引き継がれたと思われる。

筆者は、こうした都城島津家領町場のあり様を「町場城下町」と呼んでいる。本書では、その生成から完成への道のりを「都城島津家領町場町人の苗字（名字・姓氏）取得」の過程としてとらえ、文献に即してその足跡を追ってきた。そのあり様の具体相の解明についてはさらに深めらねばならないが、ともかく都城町場町人の江戸時代における活動の一端は紹介できたと思う。

都城島津家領町場町人が苗字（名字）を取得した年代を明示する史料は見当たらないが、本書では、それは、宝永年間（一七〇四～一一）から天明年間（一七八一～八九）にかけての頃、つまり十八世紀の前半から後半にかけての時期との結論を得た。その後、二十二代領主久倫の治世を経て次第に苗字をもった町人が多くなり、十九世紀に入って、つまり文政から天保にかけて、五つの町場の成人男性の半数以上が苗字をもっていることを確認してきた。

なぜ、このように苗字取得者が急激に増加しているのか——筆者はそれは都城島津家領「町場城下町」完成とみているわけだが、ここであらためて、この「町場城下町」形成のあゆみをまとめておきたい。

一、「野町」時代の都城町場——都城（鶴丸城）城下町から新地移り八十年——

天和元年（一六一五）の一国一城令による新地移りにより、現在の市庁舎付近に営まれた領主館（下長飯御館）を中心に都城島津家領町場が形成されるが、それは、従来の「野町」の域を脱するものではなかった。薩摩藩では、城下町は「鹿児島城下」だけで、地方にあった町場は全て野町と呼んだ。

当時の町場の構成を見てみると、都城（鶴丸城）城下町から移転してきた本町と、旧城下から移住してきた領主・家臣団の家族の消費を賄うために急遽つくられた唐人町と平江町の三町だけで構成されていて、伝統的な都城（鶴丸城）城下町であった三重町と後町は、当初の蔵之馬場移転計画が挫折し、旧城下に止まっており、速やかな新地移転を都城島津家に強く求めていた。

市街地や街道の整備もなく、ただ、雑然と町場や商家が所在しており、町人の苗字取得なども問題にならない状況にあったと思われる。

二、「町場城下町」生成への胎動

「町場城下町」形成への一大転機となったのが、元禄五年（一六九二）三重町・後町の新地移転のための領主館西口（現在の西町）の開発工事であった。都城島津氏領主館西口番所から竹之下川

（大淀川）までは、いわゆる河川の氾濫原で無住地であった。新地に三重町・後町を招く土地に窮した都城島津家はこの荒地を開発し、ここに三重町・後町を移すことを決断したのであった。

領主館西口の開発工事では、三重町と後町の移転先用地を得るために、高岡街道が龍泉寺坂を真っ直ぐに下って竹之下川を渡る位置にあった竹之下橋を約九〇メートル川上の現在の竹之下橋の架橋地に移設している。竹之下橋の移設工事により、高岡街道は大きくカーブして新しい竹之下橋を渡って、新地の中心部に入ることとなった。

領主館西口の開発工事は、竹之下橋の移設工事のほかに、堤防や大道（現在の西町本通り）の建設、宅地の造成など、この地が元来低地であっただけに多量の土を必要とし、それの運搬には多くの労働が必要であった。史料上は、三重町と後町は、元禄五年（一九九二）に領主館西口（現在の西町）に移転したとだけあるが、この工事の完成前に両町はこの地に既に移転していて、両町は総力をあげてこの一大プロジェクトの実現に励んだと思われる。我が町を造るために家族総出で懸命に土を運ぶ両町町人の姿が髣髴《ほうふつ》と眼前に浮かぶ想いが去来する。

新設なった竹之下橋を渡った高岡街道がそのまま直進すると、御主館に入ることになる。他国人が多く往来する高岡街道であるので、領主館界隈に他国人が立ち入ることを避けるために西口番所手前で左折して、松元馬場（高岡往還ともいう）に入り、「城」と称する領主館周辺（城内と称する）を半円形に廻り、領主館北口に出て、ここで、直角に真北に転じて、現在の中央通りを進み、高岡郷（薩摩藩領）に向かうことになるが、このような高岡街道の道筋が確定するまでには、なお、多くの歳月を要したと思われる。

元禄五年（一六九二）以前の高岡街道は、龍泉寺坂を下り、弓場田口（都城の北口）の前を通り、古い竹之下橋を渡り、堂川（どん川・姫城川下流）の北岸を行き、甲斐元（都城市甲斐元町）に出て志布志街道に合流した後、北上して高岡方面に向かうが、蔵之馬場の四辻で右折して、寺柱街道となる。

元禄五年以前の領主館の周辺（都城旧市街地）の交通の中心は、甲斐元（都城市甲斐元町）にあったが、元禄五年以後のそれは、領主館北口・広口となった。このことから、都城市街地周辺の交通体系が、甲斐元から、領主館北口・広口と、南から北へと移動したことが見てとれる。

高岡街道の道筋が定まり、整備が進むと、高岡街道に沿って、都城島津家領四町（本町・唐人町・平江町・新町〔三重町・後町〕）が整然と並ぶようになり（町並み）、新地（旧都城市街地）の都市計画の素地が完成した。

三、町場町人の台頭と「野町城下町」の形成へ

しかし、元禄五年の三重町と後町の領主館西口移転は、直ちに「野町城下町」の完成とはならなかった。その完成には、なお歳月が必要であった。

筆者は都城島津家領町人の苗字（名字）取得と、「野町城下町」の完成とは密接な関係があると考える。都城島津家領町人の苗字取得については、元禄五年（一六九二）より十八年を経た宝永七年（一七一〇）に都城島津家領に巡行した第四回幕府巡見使西国班（正使小田切勘解由）の接待にかり出された都城島津家領町人の名に苗字を見出すことはできない。苗字が初めて出てくるのは、それから七十年後の、天明元年（一七八一）、二十二代領主久倫の安永諏訪社領主参列行列での本町・三重町・後町三町町人が、各町十人ずつ、合計三十人が苗字付の名前で、各々鉄炮・弓台・鑓《やり》などの武具を持して参列している史料である。

この場合は、祭礼参列という特別な場合のことであり、平常において苗字を持っていたことにはならないという考えもあろうが、そのわずか十一年後の寛政四年（一七九二）の交易方家作（建造物）払い下げに応募した町人十三人と、十年間の一括立替えを行った唐人町の富裕町人（済陽などの関係者）全てが苗字を有していたことを考えあわせると、平常においても苗字を有していたと考えられる。

このようなことから、都城島津家領の町場の町人は、宝永七年（一七一〇）までには苗字（名字）を取得していないが、それから七十一年後の天明元年（一七八一）には、苗字を得ていたと考えられる。つまり、都城島津家領町人が苗字を取得したであろう宝永七年より天明元年の七十一年間は、「野町城下町」が形成されつつあった時期でもあったと言えよう。

四、「幕末都城之図」――都城島津家領町場城下町の姿――

こうした町場町人の地位の向上とともに、町場の新しい区画整理や町並みに沿って地割（町割・屋敷割）が行われ、苗字取得も広がり店持ち町人には町場町人の権利として苗字を称することが認められたと思われる。それが文政十二年（一八二九）の大量の苗字取得の背景と考えられる。

以上のように江戸後期になると、都城町場町人の多くが姓氏を獲得し、都城島津家領四町の町勢の発展とともに、都城町場町人の経済的な実力の伸長と社会的地位の上昇が見られるのである。こうしてみてくると、「幕末都城之図」（前田厚『稿本　都城市史　上巻』口絵）に描かれた都城島津家領町場の姿は、「野町城下町」の完成の絵図と言える。

龍泉寺坂を下る高岡街道は、新しく架橋された竹之下橋（大橋）を渡り、新町（後町・三重町）に出る。そして、東口番所の手前で左折して高岡筋往還（松元馬場）に入り、都城島津氏領主館域を廻るようにして領主館北口（広口交差点付近）に出る。ここで直角に真北に向かい、広小路から本町・唐人町・平江町（このあたりは都城市中央通り）を通り、高木原を通って高岡方面に向かっていた。

領主館をめぐるようにして西から北へと配置された四町は、幕末から明治にかけてさらにつながりを増し、「野町城下町」とも言える実力をつけていったのである。幕末時の都城の活気を想像しながら、筆者が拙いガイドを試みてみることにしたい。

〔注記①〕**大橋**　現在の架橋地点に架橋された竹之下橋。都城島津家領では一番大きかったので大橋といわれた。

〔注記②〕**高岡筋往還（松元馬場）**　往還とは道路のことで、当時は街道のことを往還、あるいは筋ともいった。松元は西都城駅付近に、今も町名として残っている古い地名である。竹之下橋を渡り、領主館の西口番所前で、左折して高岡筋往還に入ることになる。つまり、他国人を領主館城に入らせない構造になっているのである。それ以上に重要なこととしては、この道は、高岡街道が領主館西口より、領主館北口に抜けて高岡街道の旧道と連絡するのに欠かせない重要な高岡街道筋の間道であったことである。

　高岡筋往還は領主館の西北部をめぐって、やがて領主館の北口（広口交差点付近）に出て、ここで、真北に方向を変えて、高岡街道となる。高岡筋往還により、高岡街道が一本につながると、都城島津家領四町の新町〔後町・三重町〕・本町・唐人町・平江町は、すべて、高岡街道の街路（町並み）にそって商家が立ち並ぶこととなり、往時の雑然とした印象は次第に薄れたと思われる。

〔注記③〕**広口**　現在の広口交差点付近。広小路と領主館北口より延びてきた道が接合する所の意。近世の都城では、広口を中心に領内の各地を結んで、都城領十二街道といわれる十二本の領内道が通り、松が植えられた。広口には、鹿児島城下より十六里の里程が記された標柱が立てられた。

〔注記④〕**広小路**　御主館北口（広口交差点付近）より本町入口までが広小路といわれた通りで、現在の都城合同庁舎（都城市上町）の東側になる。広小路には高札が立ち、都城島津家の重

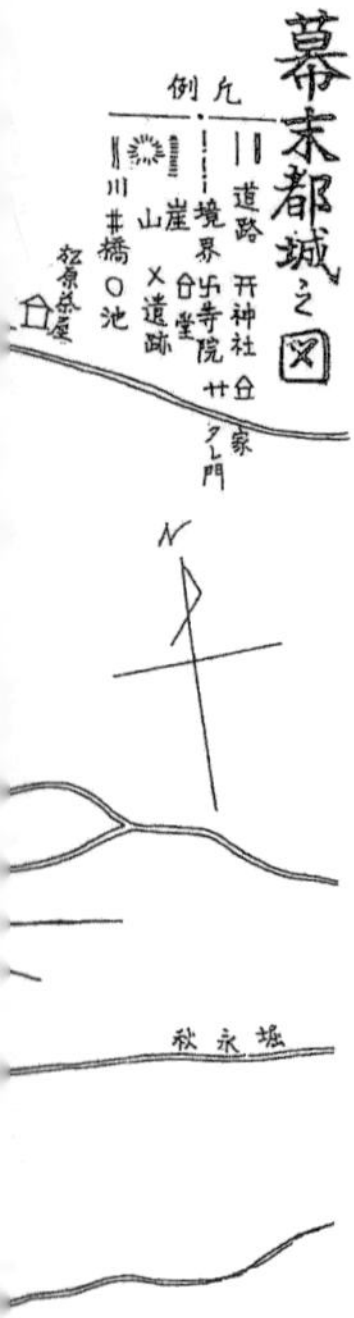

職が会議を開く会所、監察機関の横目座、都城島津家が経営する宿泊設備である内客屋（会社内にある）と外客屋、有力町人の経営になる町客屋、米を運ぶ馬をつなぐ馬次所（馬継所）などがあり、広小路は江戸時代における都城の政治、経済、交通の中心であった。

〔注記⑤〕**高木街道の松並木**
高岡街道は平江町を過ぎると、高木原にさしかかる。この高木原には、四キロに及ぶ松並木があった。

【主要著書・論文】

■「十五世紀〜十六世紀における日向大隅地方の対外関係の研究」（文部省平成三年度科学研究費補助金研究成果報告書）

■「西川如見『増補華夷通商考』の「中華十五省」と『庄内地理志』巻一四（唐人町）との関係」（九州国際大学社会文化研究所叢書第57号）※『日中関係論説史料』（論説史料保存会）第51号収録論文

■『都城唐人町の研究』（『華僑ネットワークと九州』九州国際大学社会文化研究所叢書第4号）二〇〇六年刊

■『都城唐人町　16〜17世紀の南九州と東アジア交流史』（二〇〇九年　鉱脈社）

【参考文献・史料】

■『都城市史　史料編　近世1〜5』

1〜4が史料編で、『庄内地理志』全百二十巻と拾遺が収められている。5には目次、『庄内地理志』総目次、『庄内地理志』諸本・底本一覧、『庄内地理志』絵図一覧・訂正表、『都城市史　史料編近世』正誤表、『都城市史　資料編　近世』索引（人名、地名・城館内・名所旧跡、寺社・仏神像・宗教関係）、その他の事項などが収められている。

■『都城市史　通史編　近世』第二章第二節統治機構の整備（2）町の支配

■『都城市史　通史編　近世』第二章第四節唐人町と対外関係（執筆者佐々木綱洋）

■『都城市史　史料編　近現代2』Ⅲ東京案文到来・46博覧会用物品差送の件（明治5・5・11）四〇九頁

■写真「都城館・都城県庁跡碑（市庁舎他）」（前田厚著『稿本　都城市史　上巻』）

■『都城市史　別篇・民俗文化財』第三章史跡及び名勝・天然記念物「12都城領主館跡」・「40都城茶の恩人池田貞記の墓」

■『宮崎県史　史料編　近世5』都城市・都城島津家所蔵文書（島津久厚所蔵「二六　天保九年七月　御巡見使御巡行ニ付諸手当帳」三七五～四五五頁）
■前田厚『稿本　都城市史　上巻』第九章徳川時代史
■和田正広「市来唐人町の痕跡」（九州国際大学社会文化研究所叢書『華僑ネットワークと九州』中国書店）
■池田貞記伝（香川小次郎『都城前賢伝』）大正八年刊行
■『都城島津家歴史　全』都城市立図書館　昭和四十九年復刊
■都城島津家編『都城島津家列祖略史』昭和三十九年初版　平成二年一月増補改訂版
■島津顕彰会編『島津歴代略史』
■『都城市の文化財』都城市教育委員会　平成五年三月改訂
■前田厚『都城交通史』昭和八年刊
■都城市文化財調査報告書第41集『都城市中央東部地区　史跡・旧街路等調査報告書』宮崎県都城市教育委員会　一九九七年三月
■『歴史資料館蔵品選集』都城市教育員会文化財課　平成十年刊
■佐々木綱洋「都城唐人町の研究」（同右）
■佐々木綱洋「西川如見『増補華通商考』の中華十五省と『庄内地理志』巻一四（唐人町）との関係」（九州国際大学社会文化研究所紀要第57号・二〇〇五・五・一二）※『中国関係論説資料』第51号収録論文
■佐々木綱洋「都城島津氏歴代史総合年表（系譜・年表）上下」（『季刊南九州文化』第81号・第82号連載）南九州文化研究会　平成十一年十月三十一日・平成十二年一月二十九日発刊
■佐々木綱洋「北郷忠能の都城復帰と都城の町づくり」（『もろかた』〔諸県〕第48号　平成二十六年刊）
■佐々木綱洋「都城唐人町明人子孫済陽氏（中国名蔡氏）のルーツ（『もろかた』〔諸県〕第49号　平成二十七年刊）

■前田厚私家版『都城地名考』昭和二（七年五月二十六日）
付図1　元和元年移転当時の都城図　付図2　幕末都城之図

■『庄内地理志』巻一四〔本町・唐人町〕・巻二七〔新町・大橋〕・巻九〔宮丸村・岩興・興金寺・龍斑寺〕に見る近世・都城四町〔本町・唐人町・平江町・新町（三重町と後町）〕の様子（『季刊南九州文化』第105号　平成三十一年六月刊）

■佐々木綱洋「都城茶業の発達史」（『南九州文化』第106号　平成十一年十一月刊）

■佐々木綱洋「都城領四町形成の一齣」（『南九州文化』第115号　平成二十四年五月刊）

■佐々木綱洋「新地移りと都城領四町（本町・唐人町・平江町・新町〔三重町・後町〕）――竹之下（川）橋の架橋地点の変遷――」（平成二十五年度南九州大学人間発達学部講義レジュメ）

■佐々木綱洋「安永諏訪神社参詣行列と参列した本町・三重町・後町の町人」（『南九州文化』第129号　平成三十一年四月刊）

■篠原秀一『都城庶民史』昭和五十七年刊

おわりに

私は令和元年五月十一日の満八十五歳の誕生日を迎えた。私の歴史研究は、平成元年、宮崎西高等学校から都城商業高等学校に転じた頃より始まり、定年退職後本格化した。近世南九州における日中交流史からスタートし、次第にフィールドを広げ、中世から近世にかけての都城の歴史をテーマに歴史研究を行ってきた。本書は、その成果の一端である。今後、さらに、展開をはかっていきたいものである。

ところで、私は、歴史研究を始めた当時から、文献・史料の蒐集をしっかりしてからというのを流儀にしてきた。そのこともあって、書籍・文献の購入費がかなり多額に上ったものだが、何一つ、愚痴をこぼすことのなかった家内には感謝している。

蔵書家とその家族には蔵書の処分という厄介なことがあるようだが、私も自分の終活において類似の体験をしている。しかし、筆者の場合は、研究発表や出版の機会に恵まれた（鉱脈社では、改版を含めてこれまで三回も出版していただいている）ことから、蒐集した文献・

史料が活字化されて私の出版物のなかに半永久的に所在するわけで、私にとっては大変心強い。改めて、鉱脈社には深甚の謝意を申し上げたい。

本書の出版にあたっては、ひきつづき鉱脈社にお世話になった。同社の皆様の整理から校閲、制作とねばり強い努力に深く感謝したい。

また、私の歴史研究を支え、発表の場を提供くださった隼人文化研究会（鹿児島・ラサール学園内）、鹿大史学会（鹿児島大学史学会）、『南九州文化』（南九州文化研究所）、『もろかた』（都城史談会）、南九州大学人間発達学部をはじめ、何かとご協力をいただいた都城島津邸、都城市教育委員会文化財課、宮崎カメラの皆さんには大変お世話になりました。この場をかりて厚く御礼申し上げます。

※　　※

このたびの出版の校正を終えた頃、「野町」町人について新しい知見を得たので、「おわりに」に記すことにした。

『高城町史』（平成元年発行）「第十三章　藩政二百五十年」の「3　高城野町の後藤家文書」（執筆者野口徳次）に、都城と高岡の結節点として繁栄した高城野町の豪商後藤家に伝わる文書が紹介されている。うち、万治元年（一六五八）「庄内高城町屋敷余地役銀収帳」では、当時の町屋敷と、当主の名前がわかる。この史料には、市兵衛以下の三十七名が札之辻から屋敷順に記されているが、記名にはいずれも苗字（名字）がない。万治元年当時の高城野町町人は苗字（名字）を取得していなかったことがわかる。

ところが、同じ後藤家文書にある「庄内高城野町名字脇指御免被仰付次第書」（天明五年〈一七八五〉）によると、鹿児島藩庁からの達示で、高城野町町人に苗字並びに脇差しを帯びることが許可されている。さらに後藤家文書のなかの、主取の首藤市兵衛が記した「出納控え」には、苗字帯刀を許された家部名頭が三十九名となっている。

野口徳次氏が言われるには、家部は俗に士族株とか町人株というように、家屋敷の所有と相続権の存在を意味し、名頭はその居住権を公認されている当主であり、そして、苗字帯刀を公許されたといっても、武士とは違い、鍔付の脇差し一本であったという。

十八世紀の後期に、高城野町では、家屋敷の所有権・相続権、そして居住権を公認された町人に苗字が与えられたのであった。このことは、当時、高城町場町人を武士として認めたのではなく、武士に準じた待遇を与えたということであろうが、著者が本書で取り上げたことと関係することが大きいと考えられる。

本書との関連でいうと、文政十年（一八二七）都城島津家領町場の人口調査（耶蘇教徒調査）の箇所で、各町の苗字取得町人に「家部（武士身分）」と頭注がある（『庄内地理志』）。町人であるのに、「家部」とはおかしいと思っていたが、「後藤家文書」によれば、高城野町では、家屋敷の所有権・相続権・居住権を所有する各頭家部に苗字が与えられているようである。

このことをふまえると、都城島津家領町場では、店・屋敷の所有権・居住権を有する町人に苗字を与え、武士に準じた待遇を与えたといえよう。その意味で、『庄内地理志』では、町人であって、武士ではないが、「家部」という頭注をつけたのであろうと考え直した次第である。本書では、頭注に家部とあっても、武士ではなく、町人として扱っているわけで、論旨には大きな影響はないが、ここに記しておきたい。

いずれにしても著者は、本書で、都城島津家領町場五町（本町・唐人町・平江町・新町〔三重町・後町〕）の町人が江戸時代後期に苗字を取得する過程を縷々述べたが、このことは、都城島津家領町場だけのことではなかったことが明瞭となった。今後、鹿児島藩領各地にあった野町についても調査が必要であると、本書の校正を終えたいま、考えている。

令和二年一月吉日

著者略歴

佐々木綱洋（ささき　つなひろ）

昭和9年5月11日、東京都（旧牛込区）に生まれる。
父の勤務で北海道苫小牧市、旧満州国新京市（現長春市）で育つ。終戦で故郷の鹿児島県に引き揚げる。鹿児島大学文理学部東洋史学を卒業後、宮崎県立6校（恒富〔延岡〕・福島・都城工業・都城西・宮崎西・都城商業）で世界史と日本史を教える。平成七年定年退職後、都城教育委員会文化財課に文化財専門委員として勤務する傍ら、都城市史編さん委員、南九州大学人間発達学部非常勤講師（都城の歴史と文化）を務める。現在、都城市文化財保護審議会委員。

【主要著書・論文】

□「西川如見『増補華夷通商考』の「中華十五省」と『庄内地理志』巻末14（唐人町）』との関係」（九州国際大学社会文化研究所紀要57号）中日関係論説資料第51号収録論文（論説資料保存会）

□「都城唐人町の研究」（『華僑ネットワークと九州』九州国際大学文化研究所叢書第4号）

□『都城唐人町 ── 海に開く南九州』（2009年　鉱脈社。第20回宮日出版文化賞受賞。2013年増補改訂版）

□『都城島津家墓地 ── その歴史と変遷・全調査の記録』（2011年　鉱脈社）

みやざき文庫 139

近世都城 町場形成史

―「野町」の変容と展開・町人の苗字取得を視座に―

2020年２月19日 初版印刷
2020年２月27日 初版発行

編 著 佐々木綱洋

発行者 川口 敦己

発行所 鉱脈社
宮崎市田代町263番地 郵便番号880-8551
電話0985-25-1758

印 刷
製 本 有限会社 鉱脈社